INDICE

IN OGNI PAGINA È INDICATA LA GRADUALITÀ DEGLI ESERCIZI:
■■□ Livello base   ■■■ Livello intermedio   ■■■ Un passo in più!

... e gli esercizi sono più creativi con l'inserto STRUMENTI ATTIVI.

I NUMERI FINO A 20

1 Conta gli oggetti e colora il numero giusto.

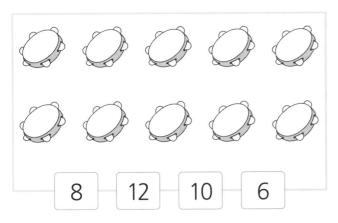

| 8 | 12 | 10 | 6 |

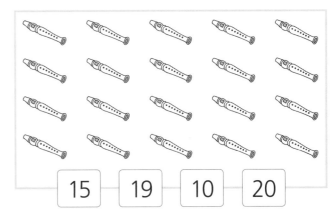

| 15 | 19 | 10 | 20 |

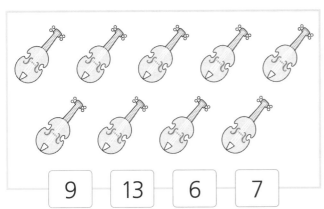

| 9 | 13 | 6 | 7 |

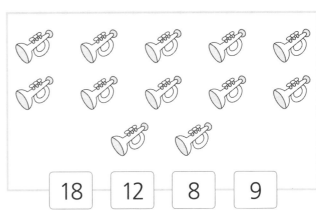

| 18 | 12 | 8 | 9 |

2 Collega il numero scritto in cifre al numero in lettere.

18	DODICI	QUATTORDICI	16
12	VENTI	SEDICI	0
20	DICIOTTO	OTTO	6
10	SETTE	ZERO	14
7	DIECI	SEI	8

3 Completa la linea dei numeri.

.... 3 .... 8 .... 15 ....

Riconoscere i numeri naturali da 0 a 20.

MAGGIORE, MINORE, UGUALE

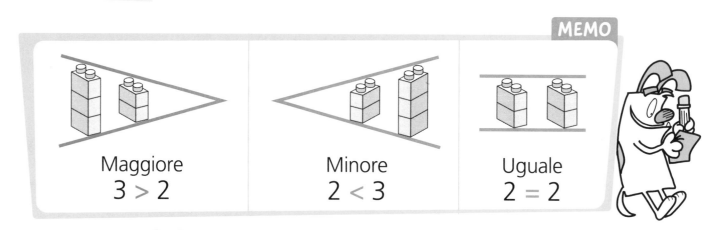

MEMO

Maggiore
3 > 2

Minore
2 < 3

Uguale
2 = 2

1 Completa con >, < o =.

12 ☐ 14   11 ☐ 9   8 ☐ 20

15 ☐ 18   13 ☐ 10   14 ☐ 14

20 ☐ 15   7 ☐ 16   19 ☐ 12

2 Scrivi ogni numero nell'insieme giusto.

17 • 9 • 19 • 3 • 20 • 1 • 6 • 14 • 18 • 8

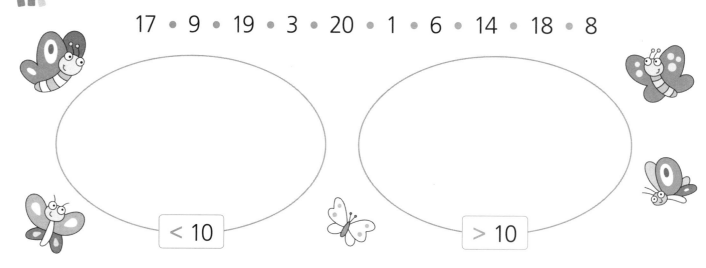

< 10

> 10

3 Scrivi i numeri in ordine crescente.

17 • 15 • 20 • 9 • 4 • 10 • 18

....

CONSIGLIO

Ordine crescente =
dal minore
al maggiore.

Ordine decrescente =
dal maggiore
al minore.

4 Scrivi i numeri in ordine decrescente.

8 • 12 • 14 • 20 • 7 • 13 • 11

....

Stabilire relazioni tra i numeri entro il 20 con i segni >, < e =.

DECINE E UNITÀ

MEMO

La decina (da) è un gruppo di 10 unità (u).
1 da = 10 u

1 Raggruppa per 10 e completa la tabella come nell'esempio.

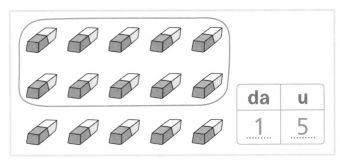

da	u
1	5

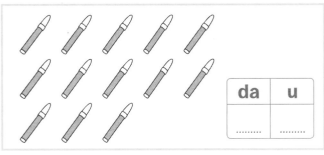

da	u
......	......

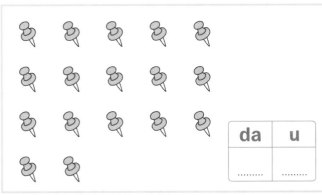

da	u
......	......

da	u
......	......

2 Scomponi i numeri come nell'esempio.

14 = _1 da e 4 u_   8 = ...   10 = ...

17 = ...   13 = ...   9 = ...

11 = ...   16 = ...   12 = ...

3 Collega ogni bandiera alla sua nave.

 19   6   15   18   20

 6 u   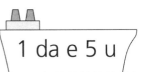 1 da e 5 u    9 u e 1 da    2 da e 0 u    1 da e 8 u

Riconoscere il valore posizionale delle cifre.   **5**

ADDIZIONI ENTRO IL 20

1 Esegui le addizioni sulla linea dei numeri e scrivi il risultato.

CONSIGLIO

Ricorda di fare un passo per volta!

$6 + 7 =$ 13

| 0 1 2 3 4 5 6 7 8 9 10 11 12 13 14 15 16 17 18 19 20 |

$9 + 6 =$ ....

| 0 1 2 3 4 5 6 7 8 9 10 11 12 13 14 15 16 17 18 19 20 |

$12 + 5 + 3 =$ ....

| 0 1 2 3 4 5 6 7 8 9 10 11 12 13 14 15 16 17 18 19 20 |

2 Esegui le addizioni e scrivi il risultato.

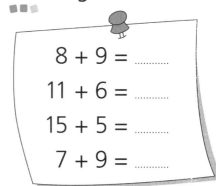

$8 + 9 =$ ....
$11 + 6 =$ ....
$15 + 5 =$ ....
$7 + 9 =$ ....

$13 + 3 =$ ....
$10 + 10 =$ ....
$12 + 6 =$ ....
$16 + 3 =$ ....

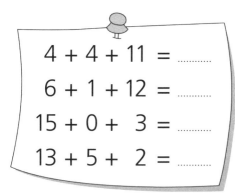

$4 + 4 + 11 =$ ....
$6 + 1 + 12 =$ ....
$15 + 0 + 3 =$ ....
$13 + 5 + 2 =$ ....

3 Completa le tabelle.

↱+	3	8	4	7	0
9					
3					
5					
10					

↱+	5	3	1	2	4
11					
13					
12					
15					

Eseguire addizioni entro il numero 20.

SOTTRAZIONI ENTRO IL 20

1 Esegui le sottrazioni sulla linea dei numeri e scrivi il risultato.

13 – 4 = ...9.....

0 1 2 3 4 5 6 7 8 9 10 11 12 13 14 15 16 17 18 19 20

18 – 7 = ...

0 1 2 3 4 5 6 7 8 9 10 11 12 13 14 15 16 17 18 19 20

20 – 12 = ...

0 1 2 3 4 5 6 7 8 9 10 11 12 13 14 15 16 17 18 19 20

2 Esegui le sottrazioni e scrivi il risultato.

11 – 4 = ...	15 – 7 = ...	16 – 12 = ...
16 – 6 = ...	14 – 5 = ...	15 – 13 = ...
19 – 8 = ...	13 – 7 = ...	12 – 11 = ...
12 – 0 = ...	11 – 9 = ...	18 – 18 = ...

3 Completa le tabelle.

↱−	2	5	10	3	6
13					
11					
12					
10					

↱−	10	15	14	9	11
15					
16					
19					
18					

ADDIZIONI E SOTTRAZIONI

1 Esegui le addizioni.

6 + 8 = ...   12 + 8 = ...

9 + 5 = ...   15 + 2 = ...

1 + 11 = ...   18 + 1 = ...

13 + 6 = ...   14 + 5 = ...

2 Esegui le sottrazioni.

11 − 7 = ...   15 − 8 = ...

13 − 8 = ...   12 − 7 = ...

19 − 12 = ...   18 − 13 = ...

20 − 11 = ...   17 − 12 = ...

3 Segna con una ✗ se il risultato è vero (V) o falso (F).

12 + 7 = 16   V   F
19 + 1 = 18   V   F
9 + 9 + 1 = 20   V   F
11 + 3 + 5 = 19   V   F

14 − 9 = 5   V   F
20 − 9 = 10   V   F
18 − 12 = 6   V   F
13 − 9 = 7   V   F

4 Segui le frecce e completa.

5 →+4→ .... →+1→ .... →+3→ .... →+0→ .... →+5→ .... →+2→ ....

20 →−3→ .... →−0→ .... →−6→ .... →−2→ .... →−5→ .... →−4→ ....

5 Calcola e colora nello stesso modo le operazioni con lo stesso risultato.

13 + 7 = ...   11 + 7 = ...   19 − 1 = ...

17 − 5 = ...   10 + 5 = ...   2 + 10 = ...,

15 + 0 = ...   18 − 4 = ...   20 − 0 = ...

20 − 10 = ...   17 − 3 = ...   6 + 4 = ...

PROBLEMI

1 Leggi il problema e disegna
le automobiline.

Pietro ha 9 automobiline rosse
e 5 blu. Quante automobiline
ha in tutto Pietro?

Colora l'operazione giusta
per rispondere alla domanda
e calcola.

| 9 + 5 = ... | 9 − 5 = ... |

2 Leggi il problema e disegna
le rose.

La fioraia ha 13 rose.
Ne vende 7. Quante rose
ha ancora la fioraia?

Colora l'operazione giusta
per rispondere alla domanda
e calcola.

| 13 + 7 = ... | 13 − 7 = ... |

3 Leggi e risolvi i problemi.

Sandro ha preparato 8 paste
con la marmellata e 12
con la crema. Quante paste
ha preparato in totale?

Colora l'operazione giusta
per rispondere alla domanda
e calcola.

| addizione | sottrazione |

.... = ...

Bruna ha 12 fermagli
per i capelli. Ne regala 8
alle sue amiche. Quanti fermagli
restano a Bruna?

Colora l'operazione giusta
per rispondere alla domanda
e calcola.

| addizione | sottrazione |

.... = ...

Risolvere problemi dopo aver stabilito l'operazione giusta.

I NUMERI DA 21 A 30

1 Completa la linea dei numeri fino a 30.

| 20 | .... | .... | .... | .... | .... | .... | .... | .... | .... | 30 |

2 Colora con lo stesso colore le magliette con lo stesso numero.

ventinove · 25 · ventuno · 23 · trenta · 28

21 · ventitré · 30 · ventotto · 29 · venticinque

3 Scrivi il numero precedente e quello successivo.

| .... | 23 | .... | | .... | 26 | .... | | .... | 24 | .... |

| .... | 20 | .... | | .... | 29 | .... | | .... | 22 | .... |

4 Collega le scomposizioni ai numeri corrispondenti.

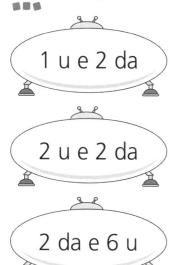

1 u e 2 da

2 u e 2 da

2 da e 6 u

 22 29

26 · 30

21 · 27

0 u e 3 da

2 da e 9 u

7 u e 2 da

Operare con i numeri da 21 a 30.

I NUMERI DA 31 A 40

1 Completa la linea dei numeri fino a 40.

30 40

2 Colora con lo stesso colore le barche e le boe con lo stesso numero.

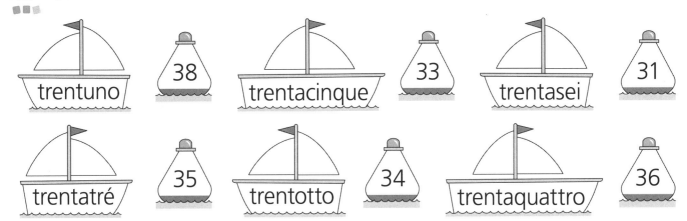

trentuno   38   trentacinque   33   trentasei   31

trentatré   35   trentotto   34   trentaquattro   36

3 Scrivi i numeri in ordine crescente.

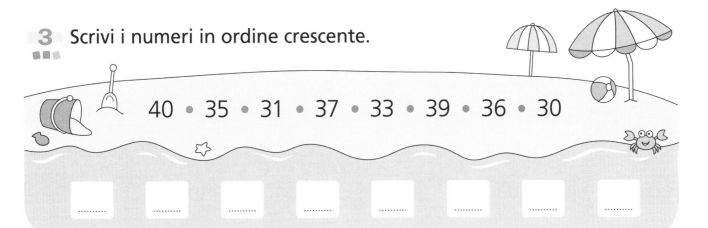

40 • 35 • 31 • 37 • 33 • 39 • 36 • 30

4 Completa con <, > o =.

33 ☐ 40   3 da e 1 u ☐ 31   2 da e 7 u ☐ 30

37 ☐ 27   4 da ☐ 3 da e 9 u   3 da e 0 u ☐ 30 u

5 Scomponi come nell'esempio.

35 = 3 da e 5 u   33 = ...   36 = ...

39 = ...   40 = ...   34 = ...

OPERAZIONI INVERSE

1 Osserva il disegno, completa e calcola.

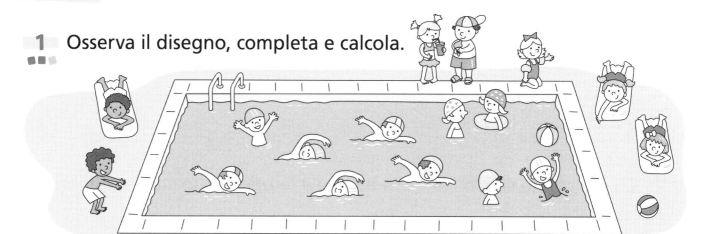

Bambini in piscina [....]   Bambini in tutto [....]

Bambini fuori dalla piscina [....]   Bambini fuori dalla piscina [....]

Bambini in tutto [....]   Bambini in piscina [....]

OPERAZIONE .... = ...   OPERAZIONE .... = ...

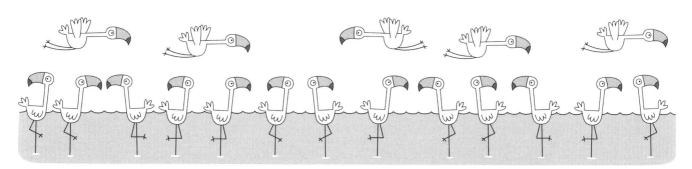

Fenicotteri in acqua [....]   Fenicotteri in tutto [....]

Fenicotteri in volo [....]   Fenicotteri in acqua [....]

Fenicotteri in tutto [....]   Fenicotteri in volo [....]

OPERAZIONE .... = ...   OPERAZIONE .... = ...

2 Completa come nell'esempio.

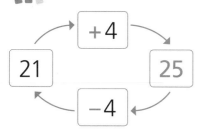
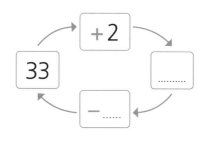
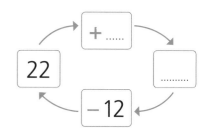

Operare con addizione e sottrazione come operazioni inverse.

NUMERI FINO A 40 •
ADDIZIONE E SOTTRAZIONE

1 Completa.

precedente	numero	successivo
....	31	....
....	25	....
....	29	....
....	39	....

precedente	numero	successivo
....	28	....
....	20	....
....	23	....
....	35	....

2 Completa come nell'esempio.

27 = ...2 da e 7 u.... = ...20 + 7.... | 30 = ... = ...

37 = ... = ... | 23 = ... = ...

21 = ... = ... | 31 = ... = ...

40 = ... = ... | 39 = ... = ...

3 Calcola e completa.

30 + 5 = ... | 28 + 1 = ... | 21 + 9 = ... | 32 + 6 = ...

38 – 4 = ... | 26 – 5 = ... | 35 – 3 = ... | 39 – 5 = ...

4 Completa.

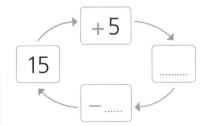

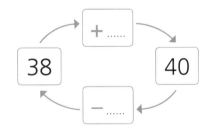

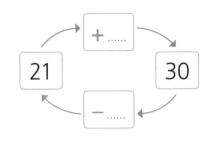

5 Leggi e risolvi.

a. In una stalla ci sono 21 mucche e 6 maiali. Quanti animali ci sono in tutto?

OPERAZIONE .... = ...

b. Ada ha 25 libri. 12 sono libri sugli animali. Quanti sono gli altri libri?

OPERAZIONE .... = ...

I NUMERI DA 41 A 50

1 Completa la linea dei numeri fino a 50.

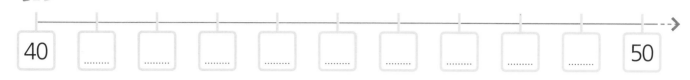

40 ___ ___ ___ ___ ___ ___ ___ ___ ___ 50

2 Scomponi come nell'esempio.

42 = _4 da e 2 u_   50 = _____   49 = _____

45 = _____   41 = _____   43 = _____

3 Componi i numeri come nell'esempio.

4 da e 6 u = _40 + 6_ = _46_   0 u e 4 da = _____ = ____

4 da e 1 u = _____ = ____   40 u e 3 u = _____ = ____

8 u e 4 da = _____ = ____   4 da e 9 u = _____ = ____

0 u e 5 da = _____ = ____   50 u e 0 da = _____ = ____

4 Completa con <, > o =.

41 ☐ 38   42 ☐ 37   43 ☐ 49

39 ☐ 45   48 ☐ 30   50 ☐ 50

5 Completa in modo che il risultato sia sempre 50.

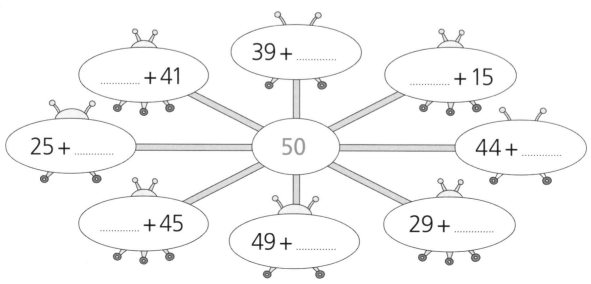

QUANTI CALCOLI!

1 Collega ogni operazione al suo risultato.

| 7 + 20 | | | 10 + 35 |

(49) (27)

(33) (45)

| 39 + 10 | | | 3 + 30 |

2 Collega ogni operazione al suo risultato.

| 44 – 4 | | | 30 – 20 |

(30) (35)

(10) (40)

| 40 – 10 | | | 45 – 10 |

3 Colora con lo stesso colore le borse con il risultato uguale.

| 30 + 6 | 10 + 30 | 40 + 6 | 1 + 30 |

| 6 u + 4 da | 1 da + 2 da e 1 u | 3 da + 6 u | 2 da + 2 da |

4 Colora con lo stesso colore i cuscini con il risultato uguale.

| 46 – 10 | 4 da e 6 u – 1 da | 25 – 15 | 3 da e 8 u – 8 u |

| 38 – 8 | 10 – 5 | 3 da – 2 da e 5 u | 2 da – 1 da |

ADDIZIONI IN COLONNA

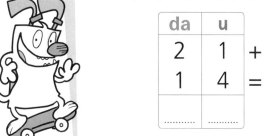

MEMO

Scrivi le **unità** sotto le **unità** e le **decine** sotto le decine.	Addiziona le **unità**.	Addiziona le decine.

da	u	
2	1	+
1	4	=
....	....	

da	u	
2	**1**	+
1	**4**	=
....	**5**	

da	u	
2	1	+
1	4	=
3	**5**	

1 Calcola e completa.

33 + 12 = ...

da	u	
3	3	+
1	2	=
....	....	

25 + 14 = ...

da	u	
2	5	+
1	4	=
....	....	

17 + 32 = ...

da	u	
1	7	+
3	2	=
....	....	

23 + 16 = ...

da	u	
2	3	+
1	6	=
....	....	

2 Metti in colonna e calcola. Poi scrivi i risultati in ordine crescente.

24 + 25 = ...

da	u	
....	....	+
....	....	=
....	....	

36 + 12 = ...

da	u	
....	....	+
....	....	=
....	....	

21 + 16 = ...

da	u	
....	....	+
....	....	=
....	....	

15 + 24 = ...

da	u	
....	....	+
....	....	=
....	....	

17 + 21 = ...

da	u	
....	....	+
....	....	=
....	....	

10 + 36 = ...

da	u	
....	....	+
....	....	=
....	....	

30 + 14 = ...

da	u	
....	....	+
....	....	=
....	....	

15 + 30 = ...

da	u	
....	....	+
....	....	=
....	....	

Eseguire addizioni in colonna.

SOTTRAZIONI IN COLONNA

MEMO

Scrivi le **unità** sotto le **unità** e le decine sotto le decine.

da	u	
2	8	–
1	1	=
....	....	

Sottrai le **unità**.

da	u	
2	**8**	–
1	**1**	=
....	**7**	

Sottrai le decine.

da	u	
2	8	–
1	1	=
1	7	

1 Calcola e completa.

44 – 22 = ...

da	u	
4	4	–
2	2	=
....	....	

38 – 24 = ...

da	u	
3	8	–
2	4	=
....	....	

35 – 11 = ...

da	u	
3	5	–
1	1	=
....	....	

29 – 23 = ...

da	u	
2	9	–
2	3	=
....	....	

2 Metti in colonna e calcola. Poi scrivi i risultati in ordine crescente.

48 – 36 = ...

da	u	
....	....	–
....	....	=
....	....	

39 – 31 = ...

da	u	
....	....	–
....	....	=
....	....	

42 – 22 = ...

da	u	
....	....	–
....	....	=
....	....	

35 – 14 = ...

da	u	
....	....	–
....	....	=
....	....	

38 – 7 = ...

da	u	
....	....	–
....	....	=
....	....	

50 – 10 = ...

da	u	
....	....	–
....	....	=
....	....	

43 – 11 = ...

da	u	
....	....	–
....	....	=
....	....	

36 – 23 = ...

da	u	
....	....	–
....	....	=
....	....	

> ....

NUMERI FINO A 50 • ADDIZIONE E SOTTRAZIONE IN COLONNA

1 Completa come nell'esempio.

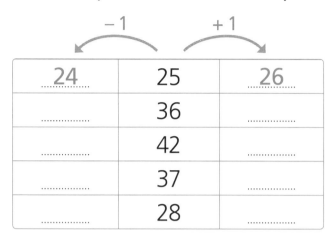

−1		+1
24	25	26
	36	
	42	
	37	
	28	

2 Completa con <, > o =.

3 da e 8 u ☐ 41

1 u e 2 da ☐ 32

4 u e 3 da ☐ 23

8 u e 2 da ☐ 43

3 da e 6 u ☐ 36

3 Metti in colonna, calcola e completa.

16 + 23 = ...

da	u	
....	....	+
....	....	=

23 + 13 = ...

da	u	
....	....	+
....	....	=

31 + 17 = ...

da	u	
....	....	+
....	....	=

27 + 11 = ...

da	u	
....	....	+
....	....	=

37 − 13 = ...

da	u	
....	....	−
....	....	=

39 − 25 = ...

da	u	
....	....	−
....	....	=

48 − 34 = ...

da	u	
....	....	−
....	....	=

38 − 21 = ...

da	u	
....	....	−
....	....	=

4 Risolvi i problemi sul quaderno.

a. Sulla pista di pattinaggio ci sono 14 bambini con il cappello e 25 senza cappello. Quanti sono in tutto i bambini sulla pista di pattinaggio?

b. In pizzeria ci sono 43 clienti. 31 di loro mangiano la pizza Margherita, gli altri la pizza Marinara. Quanti mangiano la pizza Marinara?

I NUMERI DA 51 A 60

1 Completa la linea dei numeri fino a 60.

| 50 | .... | .... | .... | .... | .... | .... | .... | .... | .... | 60 |

2 Componi e scomponi i numeri. Segui gli esempi.

5 da e 2 u = _50 + 2_ = _52_ | 57 = _50 + 7_ = _5 da e 7 u_

4 da e 6 u = ... = ... | 49 = ... = ...

5 u e 3 da = ... = ... | 51 = ... = ...

5 da e 9 u = ... = ... | 56 = ... = ...

6 da = ... = ... | 50 = ... = ...

3 Colora con lo stesso colore i numeri corrispondenti. Segui l'esempio.

cinquantadue	cinquantotto	cinquantacinque	cinquantaquattro
54	52	58	55
5 da e 8 u	5 u e 5 da	5 da e 4 u	5 da e 2 u

4 Colora l'insegna con il numero maggiore.

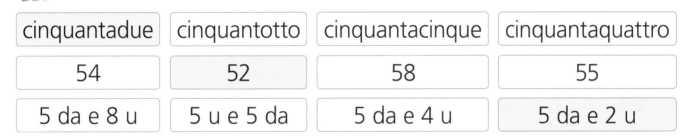

5 da e 0 u   49   5 da e 3 u   51   5 da e 6 u   6 da

5 Completa con <, > o =.

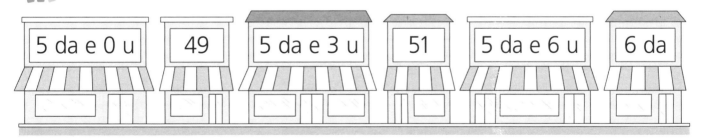

54 ☐ 58 | 57 ☐ 5 da e 5 u | 5 da e 1 u ☐ 4 da

5 da e 1 u ☐ 51 | 60 ☐ 9 u e 5 da | 6 da ☐ 60 u

6 u e 5 da ☐ 49 | 48 ☐ 5 da | 5 da e 9 u ☐ 56

ADDIZIONI CON IL CAMBIO

Scrivi le **unità** sotto le **unità** e le **decine** sotto le **decine**.

da	u	
1	7	+
1	4	=
....	....	

Addiziona le **unità**. 7 + 4 fa 11, scrivi 1 sotto le unità e riporta una decina.

da	u	
1		
1	7↓	+
1	4↓	=
....	1	

Addiziona le **decine**. 1 + 1 fa 2, più 1 che hai riportato fa 3.

da	u	
1		
1↓	7	+
1↓	4	=
3	1	

1 Metti in colonna, calcola e completa.

23 + 17 = ...

da	u	
2	3	+
1	7	=
....	....	

36 + 16 = ...

da	u	
....	....	+
....	....	=
....	....	

41 + 19 = ...

da	u	
....	....	+
....	....	=
....	....	

26 + 25 = ...

da	u	
....	....	+
....	....	=
....	....	

19 + 22 = ...

da	u	
....	....	+
....	....	=
....	....	

23 + 28 = ...

da	u	
....	....	+
....	....	=
....	....	

15 + 27 = ...

da	u	
....	....	+
....	....	=
....	....	

12 + 39 = ...

da	u	
....	....	+
....	....	=
....	....	

25 + 25 = ...

da	u	
....	....	+
....	....	=
....	....	

36 + 17 = ...

da	u	
....	....	+
....	....	=
....	....	

18 + 24 = ...

da	u	
....	....	+
....	....	=
....	....	

17 + 25 = ...

da	u	
....	....	+
....	....	=
....	....	

Eseguire addizioni con il cambio.

SOTTRAZIONI CON IL CAMBIO

MEMO

Scrivi le **unità** sotto le **unità** e le decine sotto le decine.	Sottrai le **unità**. Non puoi togliere 3 da 2. Prendi in prestito una decina: $12 - 3 = 9$	Sottrai le decine. Le decine non sono più 3 ma 2: $2 - 1 = 1$

da	u	
3	2	–
1	3	=
....	....	

da	u	
2		
3→ ¹2		–
1	3↓	=
....	9	

da	u	
2		
3↓	¹2	–
1↓	3	=
1	9	

---

1 Metti in colonna, calcola e completa.

$35 - 26 =$ ....

da	u	
3	5	–
2	6	=
....	....	

$43 - 15 =$ ....

da	u	
....	....	–
....	....	=
....	....	

$21 - 14 =$ ....

da	u	
....	....	–
....	....	=
....	....	

$33 - 16 =$ ....

da	u	
....	....	–
....	....	=
....	....	

$22 - 13 =$ ....

$30 - 16 =$ ....

$41 - 12 =$ ....

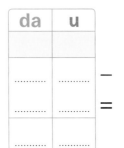

$36 - 28 =$ ....

da	u	
....	....	–
....	....	=
....	....	

$53 - 24 =$ ....

$42 - 33 =$ ....

$51 - 22 =$ ....

da	u	
....	....	–
....	....	=
....	....	

$34 - 17 =$ ....

da	u	
....	....	–
....	....	=
....	....	

PROBLEMI

■■■ Leggi il problema, scegli l'operazione giusta e calcola.

1 Clara ieri ha letto 21 pagine
del suo libro nuovo.
Oggi ne ha lette 13.
Quante pagine ha letto in tutto?

☐ 21 + 13 = ...
☐ 21 − 13 = ...

2 In pasticceria ci sono
35 crostatine. A fine giornata
ne rimangono 11. Quante crostatine
sono state vendute?

☐ 35 + 11 = ...
☐ 35 − 11 = ...

■■■ Risolvi sul quaderno.

3 Al mercato ci sono 24 bancarelle
di prodotti alimentari e 32
di abbigliamento. Quante sono
in tutto le bancarelle del mercato?

4 Sullo scuolabus ci sono
18 bambini. Alla prima fermata
ne scendono 7. Quanti bambini
rimangono sullo scuolabus?

5 Nella libreria di Amir ci sono
25 libri sul primo ripiano e 27
sul secondo. Quanti libri ci sono
in tutto nella libreria di Amir?

■■■ Risolvi sul quaderno.

6 Marco e Andrea hanno in tutto
57 figurine. 28 sono le figurine
di Marco. Quante sono le figurine
di Andrea?

7 Gloria ha 9 anni, mentre
sua mamma ne ha 44.
Qual è la differenza tra l'età
di Gloria e quella della sua mamma?

8 Dal parcheggio sono appena
uscite 12 delle 33 automobili
che c'erano. Quante automobili
ci sono ora nel parcheggio?

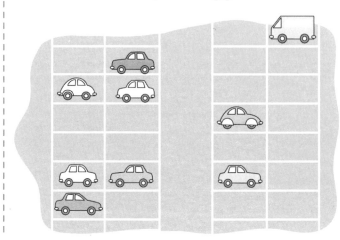

NUMERI FINO A 60 • ADDIZIONE E SOTTRAZIONE CON IL CAMBIO

1 Ordina i numeri nelle tartarughe dal minore al maggiore.

60   54   52   47   59   51   42

.... • .... • .... • .... • .... • .... • ....

2 Metti in colonna, calcola e completa.

23 + 18 = ...

da	u	
....	....	+
....	....	=
....	....	

19 + 33 = ...

da	u	
....	....	+
....	....	=
....	....	

23 + 27 = ...

da	u	
....	....	+
....	....	=
....	....	

34 + 18 = ...

da	u	
....	....	+
....	....	=
....	....	

34 − 16 = ...

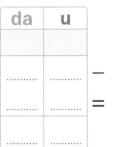

da	u	
....	....	−
....	....	=
....	....	

42 − 25 = ...

da	u	
....	....	−
....	....	=
....	....	

52 − 15 = ...

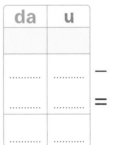

da	u	
....	....	−
....	....	=
....	....	

45 − 26 = ...

da	u	
....	....	−
....	....	=
....	....	

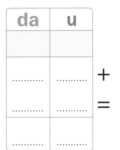

3 Calcola in colonna sul quaderno.

a. 24 + 36 =
19 + 32 =
35 + 16 =

b. 36 + 15 =
25 + 27 =
38 + 12 =

c. 42 − 24 =
33 − 16 =
21 − 12 =

d. 31 − 12 =
40 − 21 =
34 − 25 =

4 Risolvi sul quaderno.

a. Luca ha piantato nel suo orto 34 piante di fragole e 25 di lamponi. Quante piante ha piantato in tutto Luca nel suo orto?

b. Nel Grand Hotel Lux ci sono 19 stanze al primo piano e 35 al secondo. Quante stanze ci sono nel Grand Hotel Lux?

I NUMERI DA 61 A 70

1 Completa la linea dei numeri fino a 70.

| 60 | .... | .... | .... | .... | .... | .... | .... | .... | .... | 70 |

2 Collega ogni numero in cifre al numero in lettere.

sessantatré	63	66	sessantanove
sessantaquattro	62	65	sessantotto
sessantadue	69	64	sessantasei
sessantuno	68	61	sessantacinque

3 Componi i numeri. Segui l'esempio.

6 da e 3 u = ___60 + 3___ = ___63___ | 6 u e 6 da = _____ = _____

6 da e 1 u = _____ = _____ | 6 da e 2 u = _____ = _____

5 u e 6 da = _____ = _____ | 4 u e 6 da = _____ = _____

4 Completa con <, > o =.

64 ☐ 6 da e 2 u | 7 da ☐ 70 | 6 da e 1 u ☐ 5 u e 6 da

6 da e 8 u ☐ 59 | 7 u e 6 da ☐ 66 | 68 ☐ 6 da e 3 u

4 u e 6 da ☐ 63 | 65 ☐ 6 da e 0 u | 5 u e 5 da ☐ 61

5 Scrivi i numeri in ordine decrescente.

68 • 58 • 60 • 43 • 69 • 70 • 52 • 54 • 62 • 65

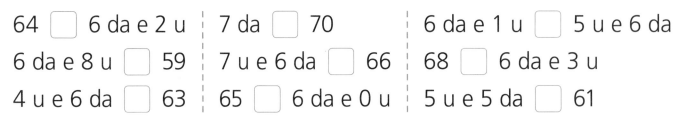

Operare con i numeri da 61 a 70.

I NUMERI DA 71 A 80

1 Completa la linea dei numeri fino a 80.

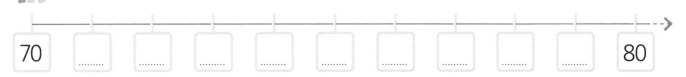

70 80

2 Scomponi i numeri come nell'esempio.

75 = 7 da e 5 u 　　　　　　77 = ...

80 = ... 　　73 = ...

78 = ... 　　72 = ...

71 = ... 　　76 = ...

3 Colora di rosso l'auto con il numero maggiore, di verde quella con il numero minore.

74　　78　　71　　75　　77　　73

4 Completa con numeri adatti.

76 < [.......]　　[.......] < 74　　79 > [.......]　　[.......] < 75

80 > [.......]　　78 > [.......]　　[.......] < 77　　73 > [.......]

5 Calcola il risultato e completa. Segui l'esempio.

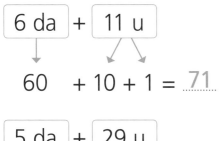

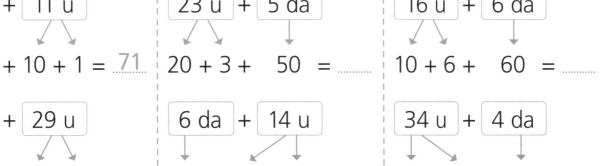

6 da + 11 u	23 u + 5 da	16 u + 6 da
60 + 10 + 1 = 71	20 + 3 + 50 = ...	10 + 6 + 60 = ...

5 da + 29 u	6 da + 14 u	34 u + 4 da
.... + 20 + 9 = ...	.... + ... + ... = ...	.... + ... + ... = ...

I NUMERI DA 81 A 90

1 Completa la linea dei numeri fino a 90.

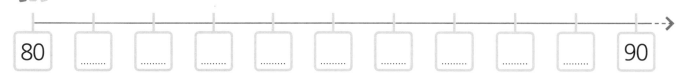

| 80 | .... | .... | .... | .... | .... | .... | .... | .... | .... | 90 |

2 Componi e scomponi i numeri. Segui gli esempi.

8 da e 1 u = __80 + 1__ = __81__ | 84 = __80 + 4__ = __8 da e 4 u__

8 da e 3 u = ... = ... | 86 = ... = ...

0 u e 9 da = ... = ... | 85 = ... = ...

8 da e 2 u = ... = ... | 88 = ... = ...

6 u e 8 da = ... = ... | 87 = ... = ...

3 Colora nello stesso modo i numeri corrispondenti. Segui l'esempio.

ottantotto	ottantuno	ottantasei	ottantatré	novanta
86	88	83	81	90
8 da e 3 u	6 u e 8 da	9 da e 0 u	8 u e 8 da	8 da e 1 u

4 Completa in modo che il risultato sia sempre 90.

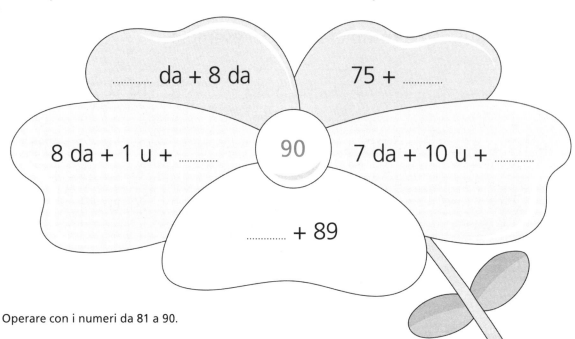

.... da + 8 da

75 + ...

8 da + 1 u + ...

90

7 da + 10 u + ...

.... + 89

Operare con i numeri da 81 a 90.

I NUMERI FINO A 99

1 Completa la tabella dei numeri fino a 99.

0	....	....	....	....	....	....	....	....	9
10	....	....	....	....	....	....	....	....	....
....	....	....	....	25	....	....	....	....	....
....	....	....	....	....	....	....	....	....	....
....	....	....	....	....	....	....	....	....	....
....	....	....	....	....	....	....	....	....	....
....	....	....	63	....	....	....	....	....	....
....	....	....	....	....	....	....	....	....	....
....	81	....	....	....	....	....	....	....	....
90	....	....	....	....	....	....	....	....	99

2 Completa come nell'esempio.

Numero in cifre	Numero in lettere	da	u	
92	novantadue	9	2	90 + 2
96	....	....	....	....
98	....	....	....	....
99	....	....	....	....

3 Calcola e completa.

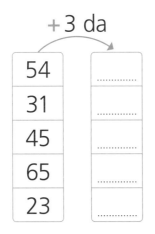

+4 u		+3 da		−2 u		−2 da	
82	....	54	....	55	....	52	....
43	....	31	....	34	....	35	....
64	....	45	....	98	....	59	....
23	....	65	....	76	....	75	....
95	....	23	....	86	....	96	....

ADDIZIONI E SOTTRAZIONI...

1 Esegui le addizioni con il cambio come nell'esempio.

56 + 15 = _71_

da	u	
1		
5	6	+
1	5	=
7	1	

48 + 23 = ...

da	u	
....	....	+
....	....	=
....	....	

35 + 37 = ...

da	u	
....	....	+
....	....	=
....	....	

14 + 66 = ...

da	u	
....	....	+
....	....	=
....	....	

49 + 33 = ...

da	u	
....	....	+
		=
....	....	

77 + 14 = ...

da	u	
....	....	+
		=
....	....	

23 + 59 = ...

da	u	
....	....	+
		=
....	....	

38 + 45 = ...

da	u	
....	....	+
		=
....	....	

2 Esegui le sottrazioni con il cambio come nell'esempio.

41 – 13 = _28_

da	u	
3		
4̸	¹1	–
1	3	=
2	8	

54 – 27 = ...

da	u	
....	....	–
....	....	=

73 – 45 = ...

da	u	
....	....	–
....	....	=

51 – 43 = ...

da	u	
....	....	–
....	....	=
....	....	

86 – 18 = ...

da	u	
....	....	–
....	....	=
....	....	

90 – 22 = ...

da	u	
....	....	–
....	....	=
....	....	

64 – 46 = ...

da	u	
....	....	–
....	....	=
....	....	

92 – 34 = ...

da	u	
....	....	–
....	....	=
....	....	

Eseguire addizioni e sottrazioni in colonna con il cambio entro il 99.

... FINO A 99

1 Esegui le operazioni in colonna.

54 + 27 = ...   63 + 27 = ...   19 + 73 = ...   25 + 66 = ...

da	u
......	......	+
......	......	=
......	......

da	u
......	......	+
......	......	=
......	......

da	u
......	......	+
......	......	=
......	......

da	u
......	......	+
......	......	=
......	......

42 − 23 = ...   74 − 36 = ...   55 − 38 = ...   83 − 56 = ...

da	u
......	......	−
......	......	=
......	......

da	u
......	......	−
......	......	=
......	......

da	u
......	......	−
......	......	=
......	......

da	u
......	......	−
......	......	=
......	......

2 Calcola in colonna sul quaderno. Sottolinea le operazioni
con il cambio.

a. 56 + 25 =   b. 64 + 24 =   c. 64 − 26 =   d. 45 − 36 =
    42 + 45 =   53 + 38 =   53 − 31 =   92 − 14 =
    75 + 23 =   18 + 43 =   84 − 15 =   55 − 45 =
    26 + 54 =   43 + 56 =   74 − 40 =   67 − 48 =

3 Calcola in colonna sul quaderno e scrivi i risultati.
Poi riscrivili sulla riga in ordine crescente.

33 + 28 = ...   16 + 46 = ...   71 + 18 = ...
25 + 56 = ...   73 + 17 = ...   52 + 39 = ...
53 − 45 = ...   62 − 25 = ...   40 − 21 = ...
95 − 28 = ...   89 − 67 = ...   46 − 33 = ...

> ....

PROBLEMI

∎∎∎ **Scegli l'operazione giusta, calcola e completa.**

1 Giorgio ha comperato
una maglia da 56 euro
e una camicia da 35 euro.
Quanto ha speso in tutto Giorgio?

☐ 56 + 35 = ...
☐ 56 − 35 = ...

2 Il fruttivendolo Nicolino
ha 33 meloni.
Ne vende 25.
Quanti meloni gli restano?

☐ 33 + 25 = ...
☐ 33 − 25 = ...

∎∎∎ **Risolvi i problemi sul quaderno.**

3 Le classi seconde della scuola
di Lucia sono composte da
37 bambini maschi e 48 bambine
femmine. Quanti sono in tutto
gli alunni delle classi seconde?

4 Nella piscina comunale
oggi sono entrate 82 persone.
46 persone sono entrate
al mattino. Quante persone
sono entrate nel pomeriggio?

5 Nella vetrina della panetteria
ci sono 42 salatini con le olive
e 39 salatini con le acciughe. Qual è
la differenza tra i salatini con le olive
e quelli con le acciughe?

6 Per il suo negozio di giocattoli,
Manuel ha ordinato 32 modellini
di auto e 29 modellini di aerei.
Quanti modellini ha ordinato
in totale Manuel?

7 **Scrivi in ogni nuvola un problema adatto all'operazione.**

39 − 15

....
....
....
....

24 + 21

....
....
....
....

Risolvere problemi; scrivere il testo di un problema partendo dall'operazione che lo risolve.

NUMERI FINO A 99

1 Componi i numeri.

9 da e 7 u = ...   6 u e 8 da = ...   7 da e 23 u = ...

8 da e 11 u = ...   8 da e 5 u = ...   18 u e 8 da = ...

2 Scomponi i numeri.

95 = ...   75 = ...   99 = ...

84 = ...   92 = ...   91 = ...

3 Metti in colonna, calcola e completa.

56 + 26 = ...   38 + 43 = ...   51 − 22 = ...   64 − 26 = ...

da	u
.....	.....	+
.....	.....	=
.....	.....

da	u
.....	.....	+
.....	.....	=
.....	.....

da	u
.....	.....	−
.....	.....	=
.....	.....

da	u
.....	.....	−
.....	.....	=
.....	.....

4 Calcola in colonna sul quaderno.

a. 44 + 37 =   **b.** 18 + 73 =   **c.** 51 − 14 =   **d.** 63 − 57 =

    69 + 15 =   66 + 25 =   73 − 47 =   52 − 35 =

    28 + 43 =   73 + 17 =   84 − 26 =   91 − 73 =

5 Completa la sequenza.

90   −10 → ....   −15 → ....   +11 → ....   +20 → ....

6 Risolvi sul quaderno.

a. In montagna Naomi ha scattato 39 fotografie sabato e 56 fotografie domenica. Quante fotografie ha scattato nei due giorni Naomi?

b. Matteo ha una scatola da 46 pastelli. Ne ha regalati 18 a sua sorella. Quanti pastelli ha ancora Matteo?

IL NUMERO 100

MEMO

| 1 centinaio = 10 decine = 100 unità
1 h = 10 da = 100 u | Il simbolo
del centinaio è h. |

1 Disegna 10 biglie in ogni scatola.

› **Completa.**

In ogni scatola hai disegnato 1 decina di biglie.

In tutto ci sono .... decine di biglie cioè .... centinaio.

2 Scrivi quanto manca per fare 100 e 1 h. Segui gli esempi.

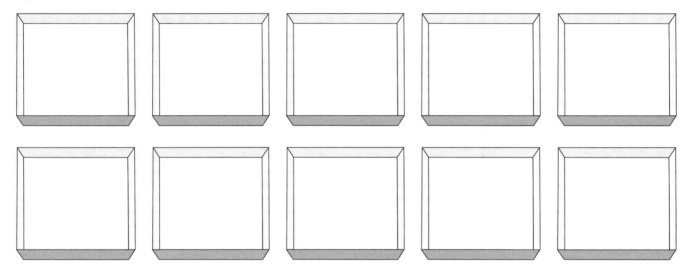

100
→ 70 + 30
→ 80 + ...
→ .... + 50
→ 10 + ...
→ 20 + ...
→ .... + 60

1 h
→ 9 da + 1 da
→ 6 da + ...
→ 1 h + ...
→ 1 da + ...
→ 5 da + ...
→ 3 da + ...

CONSIGLIO

Ricorda:
100 u = 1 h.

3 Forma il numero 100 usando solo decine. Segui l'esempio.

100 = 40 + 40 + 20   100 = ...

100 = ...   100 = ...

OLTRE IL 100

1 Collega il numero in cifre al numero in lettere.

 180

centodiciannove

centosettanta

centottanta

centotrentasei

centosedici

centosessanta

 160

 119

136

116

170

2 Scrivi i numeri in lettere.

155 ....

134 ....

121 ....

188 ....

140 ....

169 ....

3 Scrivi i numeri in cifre.

centododici ....

centoquattro ....

centoquarantuno ....

centosessantadue ....

centotrenta ....

centonovantasei ....

4 Completa le sequenze.

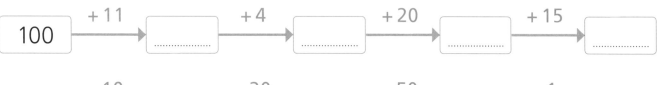

100 → +11 → .... → +4 → .... → +20 → .... → +15 → ....

160 → −10 → .... → −20 → .... → −50 → .... → −1 → ....

COMPORRE E SCOMPORRE

1 Completa la tabella come nell'esempio.

	h	da	u
156	1	5	6
109			
164			
283			

MEMO

h = centinaia

2 Scomponi come nell'esempio.

135 = 1 h, 3 da, 5 u = 100 + 30 + 5

173 = ...

120 = ...

104 = ...

3 Scrivi i numeri in cifre e in lettere. Segui l'esempio.

1 h, 5 da, 8 u ⟶ 158 ⟶ centocinquantotto

1 h, 7 da, 0 u ⟶ .... ⟶ ....

0 da, 2 u, 1 h ⟶ .... ⟶ ....

3 da, 1 h, 9 u ⟶ .... ⟶ ....

4 Collega ogni numero alla sua scomposizione.

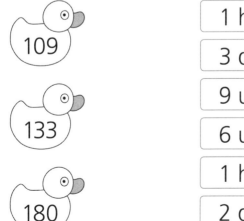

| 1 h, 4 da, 8 u |
| 3 da, 3 u, 1 h |
| 9 u, 0 da, 1 h |
| 6 u, 1 da, 1 h |
| 1 h, 8 da, 0 u |
| 2 da, 1 h, 3 u |

Comporre e scomporre i numeri oltre il 100.

CONFRONTARE E ORDINARE

1 Scrivi i numeri nei pesci in ordine crescente.

165 • 184 • 103 • 120 • 144 • 190 • 153 • 102

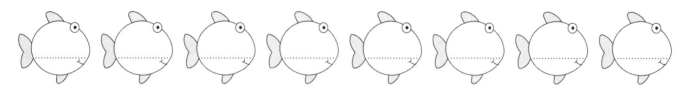

2 Scrivi i numeri nei pesci in ordine decrescente.

160 • 151 • 195 • 105 • 130 • 142 • 164 • 193

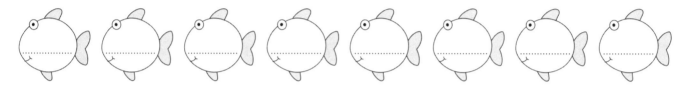

3 Confronta e completa con <, > o =.

193 ☐ 194   195 ☐ 195   119 ☐ 191

102 ☐ 120   187 ☐ 148   151 ☐ 150

4 Completa con un numero adatto.

175 > ....   146 < ....   110 = ...

101 < ....   157 > ....   198 < ....

5 Colora il riquadro con l'uguaglianza corretta. Segui l'esempio.

166 = | 6 da, 1 h, 6 u | 1 da, 1 h, 6 u |

109 = | 0 u, 9 da, 1 h | 9 u, 1 h, 0 da |

150 = | 1 h, 0 u, 5 da | 5 da, 0 h, 1 u |

8 da, 1 h, 9 u = | 198 | 189 |

7 u, 3 da, 1 h = | 137 | 173 |

1 h, 8 u, 0 da = | 180 | 108 |

Confrontare e ordinare i numeri oltre il 100.

ADDIZIONI E SOTTRAZIONI OLTRE IL 100

1 Metti in colonna, calcola e completa.

134 + 15 = ...   150 + 34 = ...   107 + 25 = ...

h	da	u
....	....	....	+
	....	....	=
....	....	....

h	da	u
....	....	....	+
	....	....	=
....	....	....

h	da	u
....	....	....	+
	....	....	=
....	....	....

2 Calcola in colonna sul quaderno. Poi scrivi i risultati.

a. 152 + 23 = ...   **b.** 165 + 16 = ...   **c.** 124 + 37 = ...

145 + 14 = ...   141 + 49 = ...   155 + 50 = ...

103 + 16 = ...   158 + 12 = ...   109 + 11 = ...

111 + 54 = ...   105 + 48 = ...   133 + 27 = ...

3 Metti in colonna, calcola e completa.

127 − 22 = ...   186 − 44 = ...   153 − 38 = ...

h	da	u
....	....	....	−
	....	....	=
....	....	....

h	da	u
....	....	....	−
	....	....	=
....	....	....

h	da	u
....	....	....	−
	....	....	=
....	....	....

4 Calcola in colonna sul quaderno. Poi scrivi i risultati.

a. 137 − 24 = ...   **b.** 195 − 46 = ...   **c.** 187 − 29 = ...

169 − 63 = ...   160 − 54 = ...   151 − 32 = ...

145 − 43 = ...   123 − 19 = ...   104 − 10 = ...

128 − 15 = ...   170 − 22 = ...   195 − 59 = ...

Calcolare addizioni e sottrazioni in colonna oltre il 100.

IL CENTINAIO

1 Scomponi come nell'esempio.

158 → ....1 h, 5 da, 8 u.......... → ....100 + 50 + 8..........

102 → .... → ....

119 → .... → ....

160 → .... → ....

2 Componi come nell'esempio.

1 h, 5 da, 0 u → ....150....   4 da, 0 u, 1 h → ....

7 da, 8 u, 1 h → ....   2 da, 1 u, 1 h → ....

3 Confronta e completa con <, > o =.

160 ☐ 154   1 h, 3 da ☐ 103

147 ☐ 1 h, 4 da, 7 u   1 h, 3 da, 9 u ☐ 190

169 ☐ 1 h, 7 da, 0 u   1 h, 3 da, 0 u ☐ 130

180 ☐ 1 h, 8 da   2 da, 1 h, 7 u ☐ 137

4 Numera per 3 da 105 a 126.

105   126

5 Numera per 4 da 112 a 140.

112   140

6 Calcola in colonna sul quaderno. Poi scrivi i risultati.

a. 143 + 28 = ...   **b.** 162 − 54 = ...

159 + 42 = ...   159 − 62 = ...

105 + 67 = ...   160 − 13 = ...

LA MOLTIPLICAZIONE

1 Completa e calcola.

fotografie in ogni cornice ☐

cornici ☐

fotografie in tutto ☐

ADDIZIONE ..... + ... + ... = ...

MOLTIPLICAZIONE ..... × ..... = ...

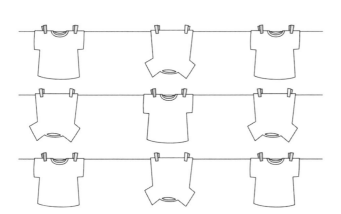

magliette su ogni filo ☐

fili ☐

magliette in tutto ☐

ADDIZIONE ..... + ... + ... = ...

MOLTIPLICAZIONE ..... × ..... = ...

2 Disegna 3 pesci in ogni acquario, completa e calcola.

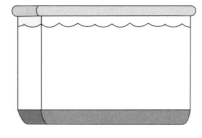
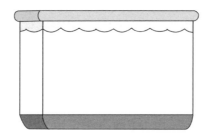
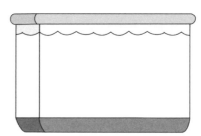

pesci in ogni acquario ☐

acquari ☐

pesci in tutto ☐

ADDIZIONE ..... + ... + ... = ...

MOLTIPLICAZIONE ..... × ..... = ...

Comprendere il concetto di moltiplicazione.

ADDIZIONE O MOLTIPLICAZIONE?

1 Conta le anatre, completa e calcola.

anatre in ogni stagno [......]

stagni [......]

....5.... × .... = ...

anatre in tutto [......]

2 Osserva, completa e calcola.

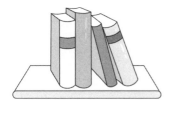 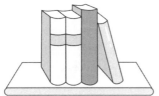

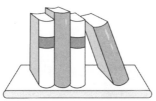

Quanti libri in tutto?

.... + ... + ... = ...

.... × .... = ...

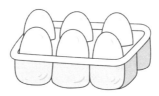 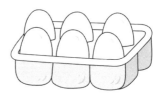

Quante uova in tutto?

.... + ... + ... + ... = ...

.... × .... = ...

3 Calcola nei due modi come nell'esempio.

$5 + 5 + 5 = \underline{15}$	$7 + 7 + 7 = \dots$	$4 + 4 + 4 + 4 + 4 = \dots$
$\underline{5} \times \underline{3} = \underline{15}$	$\dots \times \dots = \dots$	$\dots \times \dots = \dots$
$9 + 9 + 9 = \dots$	$2 + 2 + 2 + 2 = \dots$	$8 + 8 = \dots$
$\dots \times \dots = \dots$	$\dots \times \dots = \dots$	$\dots \times \dots = \dots$

Comprendere il concetto di moltiplicazione. **39**

SCHIERAMENTI

1 Osserva, completa e calcola.

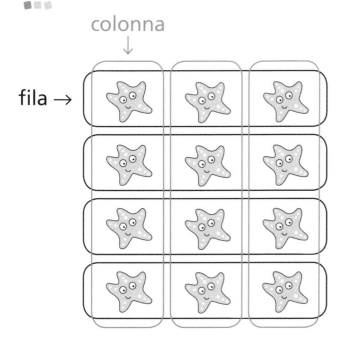

colonna

fila →

Le file sono 4

Le colonne sono ....

Le stelle sono 4 × .... = ...

Le colonne sono 3

Le file sono ....

Le stelle sono 3 × .... = ...

2 Disegna di rosso le colonne, di verde le file e scrivi le due moltiplicazioni per ogni schieramento.

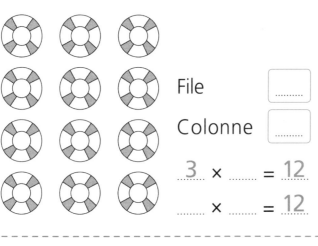

File ....

Colonne ....

3 × .... = 12

.... × .... = 12

File ....

Colonne ....

.... × .... = ...

.... × .... = ...

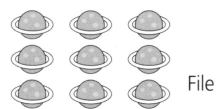

File ....

Colonne ....

.... × .... = ...

.... × .... = ...

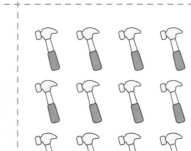

File ....

Colonne ....

.... × .... = ...

.... × .... = ...

Comprendere il concetto di moltiplicazione utilizzando gli schieramenti.

INCROCI

1 Osserva e completa.

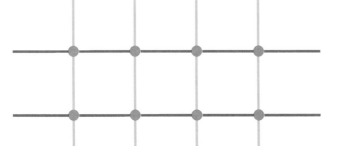

Linee orizzontali ___3___

Linee verticali ___

Incroci ___3___ × ___ = ___

Linee verticali ___4___

Linee orizzontali ___

Incroci ___4___ × ___ = ___

2 Osserva, segna gli incroci con un ● e completa.

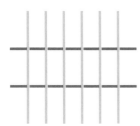

Linee orizzontali ___

Linee verticali ___

___2___ × ___ = 12

___ × ___ = 12

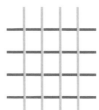

Linee orizzontali ___

Linee verticali ___

___ × ___ = ___

___ × ___ = ___

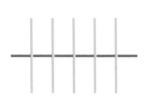

Linee orizzontali ___

Linee verticali ___

___ × ___ = ___

___ × ___ = ___

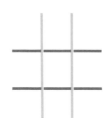

Linee orizzontali ___

Linee verticali ___

___ × ___ = ___

___ × ___ = ___

Linee orizzontali ___0___

Linee verticali ___

___ × ___ = ___

___ × ___ = ___

CONSIGLIO

In una moltiplicazione, se uno dei due numeri è 0 non si forma nessun incrocio.

PROBLEMI

▪▫▪ **Completa e risolvi i problemi.**

1 Luca ha preparato 4 mazzi di fiori. Ogni mazzo è composto da 5 fiori. Quanti fiori ha usato in tutto Luca?

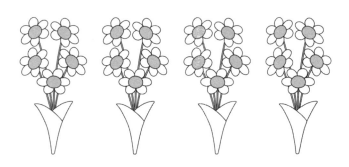

Fiori in ogni mazzo ....

Mazzi di fiori ....

Fiori in tutto ....

OPERAZIONE .... × .... = ...

- -

2 Lo scaffale del supermercato ha 4 ripiani. Su ogni ripiano ci sono 6 confezioni di biscotti. Quante confezioni ci sono sullo scaffale?

Ripiani ....

Confezioni su ogni ripiano ....

Confezioni in tutto ....

OPERAZIONE .... × .... = ...

▪▫▪ **Risolvi i problemi sul quaderno.**

3 Samuele ha completato l'album da disegno. Su ogni pagina ha disegnato 5 animali. L'album ha 8 pagine. Quanti animali ha disegnato?

4 Nel campeggio Le Dune ci sono 9 piazzole. In ogni piazzola ci sono 3 tende. Quante tende ci sono nel campeggio Le Dune?

5 Negli ultimi 4 giorni Michela ha letto 7 pagine al giorno del suo libro di racconti. Quante pagine ha letto Michela negli ultimi 4 giorni?

6 Ivan ha sistemato tutte le sue conchiglie in 4 scatoline. In ogni scatolina ha messo 6 conchiglie. Quante conchiglie ha Ivan?

Risolvere problemi con moltiplicazioni.

MOLTIPLICAZIONE

1 Scrivi nei due modi il numero dei dolci e calcola.

   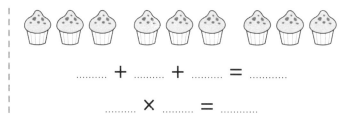

.... + ... = ... + ... + ... = ...

.... × .... = ... × .... = ...

2 Colora solo le addizioni che possono essere trasformate in moltiplicazioni.

| 5 + 5 + 5 + 3 | 4 + 4 + 4 | 8 + 1 + 8 | 9 + 9 |

3 Collega ogni schieramento alle moltiplicazioni corrispondenti.

| 6 × 2 |   | 3 × 2 |

| 2 × 3 |  | 2 × 5 |

| 5 × 2 | | 2 × 6 |

| 4 × 2 | | 2 × 4 |

4 Segna gli incroci, scrivi le moltiplicazioni e calcola.

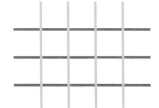   .... × .... = ...   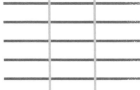   .... × .... = ...

.... × .... = ... × .... = ...

   .... × .... = ...      .... × .... = ...

.... × .... = ... × .... = ...

LA TABELLINA DEL 2

1 Completa la tabellina del 2.

2 × 0 = ...   2 × 4 = ...

2 × 1 = ...   2 × 5 = ...   2 × 8 = ...

2 × 2 = ...   2 × 6 = ...   2 × 9 = ...

2 × 3 = ...   2 × 7 = ...   2 × 10 = ...

2 Conta gli incroci ed esegui le moltiplicazioni.

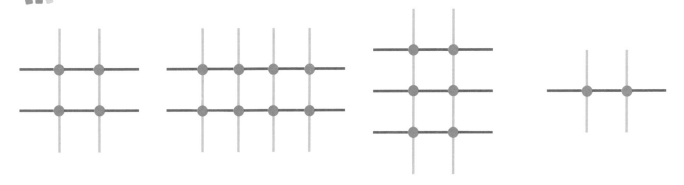

2 × 2 = ...   2 × ...... = ... × ...... = ... × ...... = ...

3 Disegna i salti della lepre e completa la tabellina del 2.

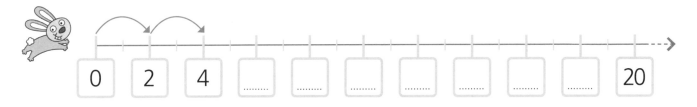

| 0 | 2 | 4 | ...... | ...... | ...... | ...... | ...... | ...... | ...... | 20 |

4 Scrivi i numeri mancanti, come nell'esempio.

2 × 3 = 6
...... × 2 = 8
2 × ...... = 10

2 × ...... = 20
...... × 2 = 14
2 × ...... = 18

...... × 2 = 12
2 × ...... = 16
...... × 2 = 4

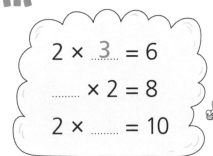

Conoscere e rappresentare la tabellina del 2.

LA TABELLINA DEL 3

1 Completa la tabellina del 3.

CONSIGLIO

Conta con le dita se non ricordi i risultati.

3 × 0 = ...   3 × 4 = ...

3 × 1 = ...   3 × 5 = ...   3 × 8 = ...

3 × 2 = ...   3 × 6 = ...   3 × 9 = ...

3 × 3 = ...   3 × 7 = ...   3 × 10 = ...

2 Conta gli incroci ed esegui le moltiplicazioni.

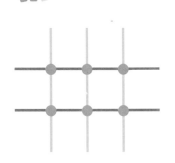 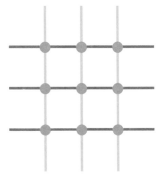 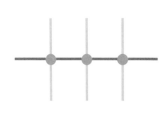 

3 × 2 = ...   3 × ..... = ... × ..... = ... × ..... = ...

3 Disegna i salti della pulce e completa la tabellina del 3.

0   3   ....

4 Scrivi i numeri mancanti, come nell'esempio.

3 × 2 = 6

..... × 3 = 12

3 × ..... = 15

..... × 3 = 21

3 × ..... = 9

..... × 3 = 18

3 × ..... = 30

..... × 3 = 24

3 × ..... = 27

LA TABELLINA DEL 4

1 Completa la tabellina del 4.

4 × 3 = ...   4 × 7 = ...

4 × 0 = ...   4 × 4 = ...   4 × 8 = ...

4 × 1 = ...   4 × 5 = ...   4 × 9 = ...

4 × 2 = ...   4 × 6 = ...   4 × 10 = ...

2 Disegna sul quaderno gli incroci che corrispondono alle seguenti moltiplicazioni e completa.

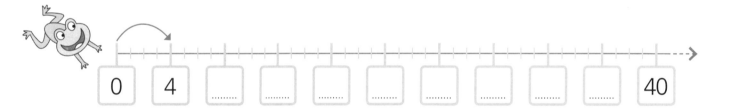

| 4 × 4 = ... | 4 × 7 = ... | 4 × 1 = ... | 4 × 9 = ... |

3 Disegna i salti della rana e completa la tabellina del 4.

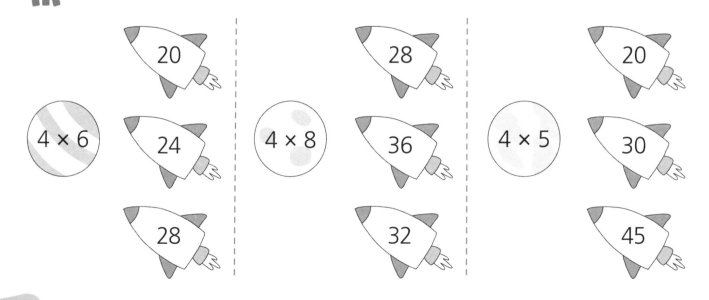

0   4   40

4 Colora le astronavi con i risultati corretti.

4 × 6   20   24   28

4 × 8   28   36   32

4 × 5   20   30   45

LA TABELLINA DEL 5

1 Completa la tabellina del 5.

$5 \times 0 =$ ....

$5 \times 1 =$ ....

$5 \times 2 =$ ....

$5 \times 3 =$ ....

$5 \times 4 =$ ....

$5 \times 5 =$ ....

$5 \times 6 =$ ....

$5 \times 7 =$ ....

$5 \times 8 =$ ....

$5 \times 9 =$ ....

$5 \times 10 =$ ....

2 Conta gli incroci ed esegui le moltiplicazioni.

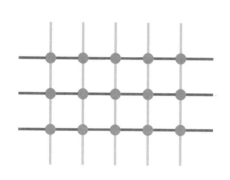 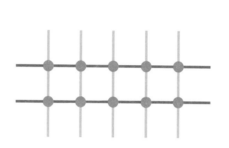 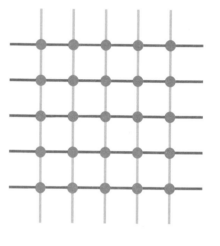

$5 \times$ .... $=$ .... 　　　 .... $\times$ .... $=$ .... 　　　 .... $\times$ .... $=$ ....

3 Completa la tabella.

↱×↲	0	1	2	3	4	5	6	7	8	9	10
5	....	....	....	....	....	....	....	....	....	....	50

4 Cerchia di blu i risultati della tabellina del 4 e di giallo quelli della tabellina del 5.

40　　35　　16　　15　　25　　32　　24　　12　　20　　50

› Quali numeri hai cerchiato con entrambi i colori? ....

LA TABELLINA DEL 6

1 Conta le zampe degli scarabei e completa la tabellina del 6.

$6 \times 0 = 0$ $6 \times 3 = \ldots$ $6 \times 6 = \ldots$ $6 \times 9 = \ldots$

$6 \times 1 = \ldots$ $6 \times 4 = \ldots$ $6 \times 7 = \ldots$ $6 \times 10 = \ldots$

$6 \times 2 = \ldots$ $6 \times 5 = \ldots$ $6 \times 8 = \ldots$

2 Conta gli incroci ed esegui le moltiplicazioni.

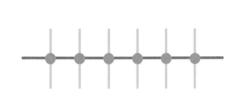 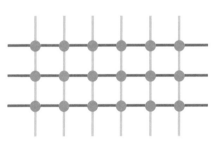 

$6 \times \ldots = \ldots$ $\ldots \times \ldots = \ldots$ $\ldots \times \ldots = \ldots$

3 Completa la tabella.

↪×	0	1	2	3	4	5	6	7	8	9	10
6											60

4 Colora il risultato corretto.

$6 \times 5 =$ ☐ 25 ☐ 30 ☐ 35 $2 \times 6 =$ ☐ 84 ☐ 20 ☐ 12

$4 \times 6 =$ ☐ 24 ☐ 30 ☐ 12 $6 \times 1 =$ ☐ 6 ☐ 1 ☐ 18

$6 \times 0 =$ ☐ 60 ☐ 0 ☐ 10 $6 \times 3 =$ ☐ 24 ☐ 18 ☐ 30

Conoscere e rappresentare la tabellina del 6.

STRUMENTI ATTIVI MATEMATICA 2

×	1	2	3	4	5	6	7	8	9	10
1										
2										
3										
4										
5										
6										
7										
8										
9										
10										

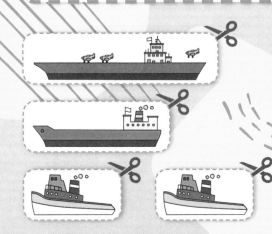

RITAGLIA LE TUE NAVI E METTILE DOVE VUOI SULLA GRIGLIA... INIZIA IL GIOCO!

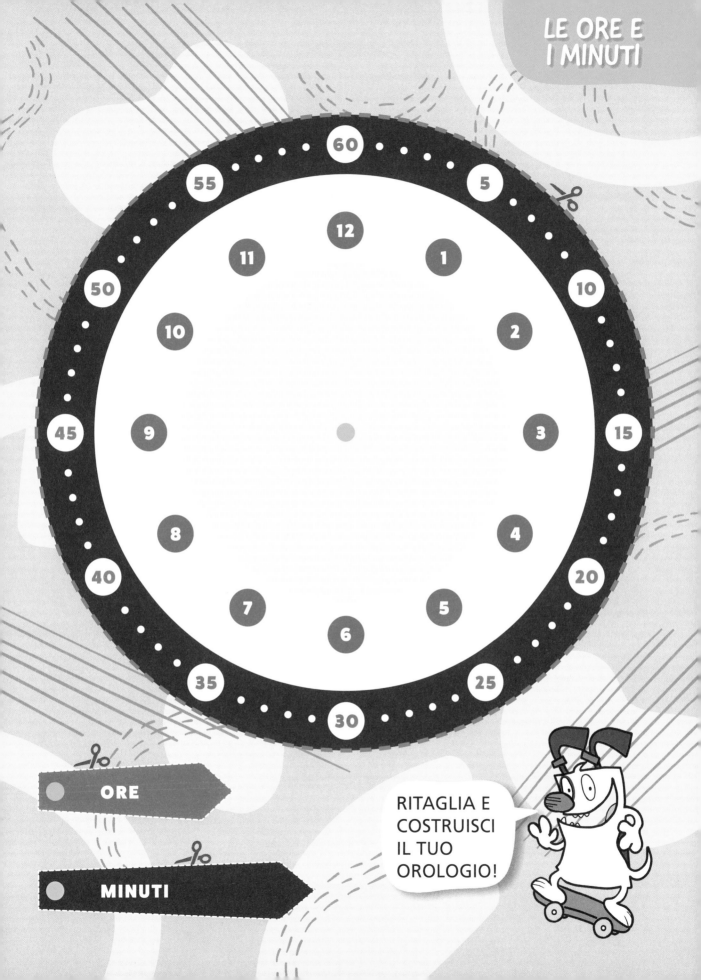

ECCO
IL RISULTATO!

LA TABELLINA DEL 7

1 Conta i petali dei fiori e completa la tabellina del 7.

$7 \times 0 = $ .....0.....

$7 \times 1 = $ .... $7 \times 6 = $ ....

$7 \times 2 = $ .... $7 \times 7 = $ ....

$7 \times 3 = $ .... $7 \times 8 = $ ....

$7 \times 4 = $ .... $7 \times 9 = $ ....

$7 \times 5 = $ .... $7 \times 10 = $ ....

2 Colora di blu i numeri della tabellina del 7.

> **CONSIGLIO**
> Aiutati con i risultati dell'esercizio 1.

0									
1	2	3	4	5	6	7	8	9	10
11	12	13	14	15	16	17	18	19	20
21	22	23	24	25	26	27	28	29	30
31	32	33	34	35	36	37	38	39	40
41	42	43	44	45	46	47	48	49	50
51	52	53	54	55	56	57	58	59	60
61	62	63	64	65	66	67	68	69	70

3 Disegna sul quaderno gli incroci che corrispondono alle seguenti moltiplicazioni e completa.

$7 \times 1 = $ .... $7 \times 0 = $ .... $7 \times 7 = $ .... $7 \times 2 = $ ....

4 Completa con i numeri e le moltiplicazioni mancanti. Segui l'esempio.

$7 \times 3 \rightarrow$ ...21...   .... $\rightarrow 28$ $5 \times 7 \rightarrow$ .... $\rightarrow 42$

LA TABELLINA DELL'8

1 Conta le palline nelle scatole e completa la tabellina dell'8.

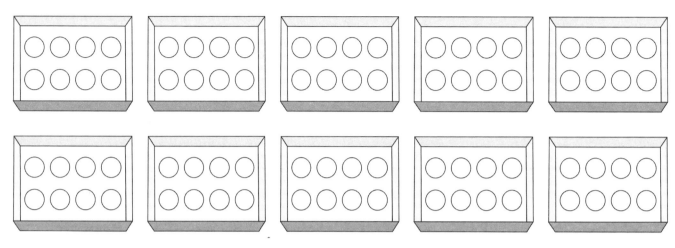

$8 \times 0 = \underline{0}$ $8 \times 3 = \underline{}$ $8 \times 6 = \underline{}$ $8 \times 9 = \underline{}$

$8 \times 1 = \underline{}$ $8 \times 4 = \underline{}$ $8 \times 7 = \underline{}$ $8 \times 10 = \underline{}$

$8 \times 2 = \underline{}$ $8 \times 5 = \underline{}$ $8 \times 8 = \underline{}$

2 Completa la tabella.

↱×	.....	1	2	.....	4	.....	6	7	.....	9	.....
8	.....	.....	.....	24	.....	40	.....	.....	64	.....	80

3 Collega ogni operazione al risultato corrispondente.

| 8 × 5 | 8 × 6 | 8 × 0 | 8 × 10 | 8 × 9 |

| 48 | 80 | 40 | 72 | 0 |

4 Risolvi le moltiplicazioni. Poi colora con lo stesso colore quelle che hanno lo stesso risultato.

$7 \times 8 = \underline{}$ $5 \times 8 = \underline{}$ $4 \times 8 = \underline{}$

$8 \times 5 = \underline{}$ $8 \times 4 = \underline{}$ $8 \times 7 = \underline{}$

LA TABELLINA DEL 9

1 Conta i pallini delle coccinelle e completa la tabellina del 9.

$9 \times 0 =$ ....
$9 \times 1 =$ ....
$9 \times 2 =$ ....
$9 \times 3 =$ ....
$9 \times 4 =$ ....
$9 \times 5 =$ ....
$9 \times 6 =$ ....
$9 \times 7 =$ ....
$9 \times 8 =$ ....
$9 \times 9 =$ ....
$9 \times 10 =$ ....

2 Disegna i salti del grillo e completa la tabellina del 9.

| 0 | 9 | .... | .... | .... | 45 | .... | .... | .... | .... | 90 |

3 Per ogni moltiplicazione, colora il risultato corretto.

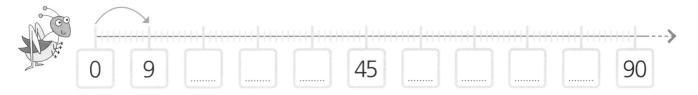

9×9 5×9 9×10

72   81   18 | 45   40   90 | 19   54   90

4 Per ogni numero scrivi due moltiplicazioni. Segui l'esempio.

16 → 4 × 4
     8 × 2

20 → 2 × ....
     5 × ....

18 → .... × ....
     .... × ....

40 → .... × ....
     .... × ....

8 → .... × ....
    .... × ....

9 → .... × ....
    .... × ....

LA TABELLINA DEL 10

1 Conta le biglie e completa la tabellina del 10.

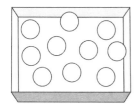 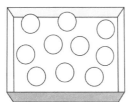 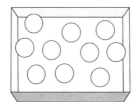 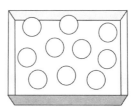 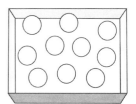

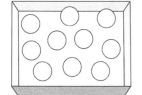 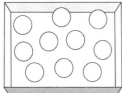 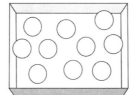 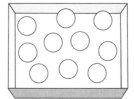 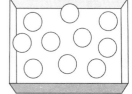

10 × 0 = ...   10 × .... = ...   10 × .... = ...   10 × .... = ...

10 × 1 = ...   10 × .... = ...   10 × .... = ...   10 × .... = ...

10 × 2 = ...   10 × .... = ...   10 × .... = ...

2 Completa la tabella.

↻×	0	.....	2	.....	4	5	6	7	.....	9	.....
10	.....	10	.....	30	.....	50	.....	.....	80	.....	100

3 Segna con una ✗ i risultati corretti.

10 × 5 = | 40 | 15 | 50 | 100 | 6 × 10 = | 61 | 70 | 16 | 60 |

2 × 10 = | 20 | 60 | 30 | 10 | 10 × 3 = | 30 | 3 | 20 | 40 |

10 × 8 = | 60 | 80 | 90 | 18 | 10 × 7 = | 50 | 70 | 17 | 10 |

4 Colora ogni risultato con lo stesso colore dell'operazione corrispondente.

(60)   (90)   (30)   (100)   (50)

(3 × 10)   (10 × 10)   (6 × 10)   (10 × 5)   (9 × 10)

Conoscere e rappresentare la tabellina del 10.

GIOCHIAMO CON LE TABELLINE

1 Esegui le moltiplicazioni, poi colora le papere con i risultati come indicato.

giallo	verde	rosso	blu
6 × 5 = ...	4 × 3 = ...	1 × 8 = ...	5 × 5 = ...
8 × 3 = ...	5 × 8 = ...	3 × 7 = ...	5 × 10 = ...
9 × 2 = ...	6 × 6 = ...	10 × 2 = ...	7 × 2 = ...

2 Cerchia di rosso i risultati della tabellina del 2, di blu quelli della tabellina del 3, di giallo quelli della tabellina del 6.

| 6 | 12 | 21 | 30 | 36 | 9 | 18 | 24 | 15 |

> Quali numeri hai cerchiato con più colori? ....

3 Completa con i numeri mancanti.

3 × .... = 15
7 × .... = 21
.... × 9 = 18
4 × .... = 40

.... × 5 = 25
8 × .... = 48
.... × 5 = 10
10 × .... = 50

7 × .... = 35
.... × 4 = 36
9 × .... = 27
.... × 2 = 16

4 Completa con i numeri e le moltiplicazioni mancanti. Segui l'esempio.

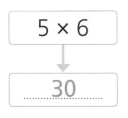
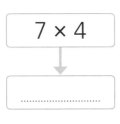
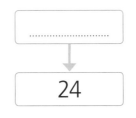
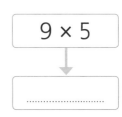
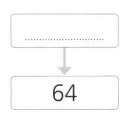

5 × 6	7 × 4	....	9 × 5	....
30	....	24	....	64

MOLTIPLICAZIONI IN COLONNA

Scrivi le **unità** sotto le **unità** e le **decine** sotto le **decine**.	Moltiplica le **unità** per le **unità**.	Moltiplica le **unità** per le **decine**.

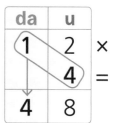

da	u	
1	2	×
	4	=
....	....	

da	u	
1	2	×
	4	=
....	8	

da	u	
1	2	×
	4	=
4	8	

1 Calcola.

da	u	
1	1	×
	3	=
....	....	

da	u	
2	1	×
	4	=
....	....	

da	u	
1	4	×
	2	=
....	....	

da	u	
2	3	×
	3	=
....	....	

da	u	
1	9	×
	1	=
....	....	

da	u	
2	2	×
	3	=
....	....	

da	u	
1	1	×
	8	=
....	....	

da	u	
1	2	×
	3	=
....	....	

2 Metti in colonna, calcola e completa.

41 × 2 = ...

da	u	
....	....	×
	....	=
....	....	

13 × 3 = ...

da	u	
....	....	×
	....	=
....	....	

11 × 4 = ...

da	u	
....	....	×
	....	=
....	....	

32 × 2 = ...

da	u	
....	....	×
	....	=
....	....	

21 × 3 = ...

da	u	
....	....	×
	....	=
....	....	

13 × 2 = ...

da	u	
....	....	×
	....	=
....	....	

12 × 4 = ...

da	u	
....	....	×
	....	=
....	....	

31 × 3 = ...

da	u	
....	....	×
	....	=
....	....	

Eseguire moltiplicazioni in colonna.

MOLTIPLICAZIONI CON IL CAMBIO

MEMO

Scrivi le **unità** sotto le **unità** e le **decine** sotto le **decine**.

Moltiplica le **unità** per le **unità**. Riporta 1 decina nella colonna delle decine.

Moltiplica le **unità** per le **decine**. Aggiungi la decina che hai riportato.

1 Metti in colonna, calcola e completa.

24 × 3 = ...

35 × 2 = ...

18 × 2 = ...

25 × 3 = ...

28 × 3 = ...

19 × 2 = ...

27 × 3 = ...

16 × 6 = ...

2 Metti in colonna sul quaderno e scrivi il risultato.

15 × 4 = ...

24 × 4 = ...

18 × 3 = ...

26 × 2 = ...

MOLTIPLICAZIONI OLTRE IL 100

1 Metti in colonna, calcola e completa. Segui l'esempio.

35 × 5 = _175_

h	da	u
	2	
	3	5
		5
1	7	5

×
=

41 × 4 = ...

h	da	u

×
=

66 × 3 = ...

h	da	u

×
=

52 × 3 = ...

h	da	u

×
=

38 × 4 = ...

h	da	u

×
=

29 × 6 = ...

h	da	u

×
=

2 Calcola in colonna sul quaderno. Poi scrivi i risultati.

a. 24 × 6 = ...

35 × 3 = ...

53 × 2 = ...

b. 42 × 3 = ...

60 × 2 = ...

38 × 3 = ...

c. 13 × 9 = ...

30 × 6 = ...

21 × 7 = ...

Risolvi i problemi sul quaderno.

3 In biblioteca lo scaffale con i libri di avventura ha 8 ripiani. Su ogni ripiano ci sono 20 libri. Quanti sono i libri di avventura?

4 Per andare al lavoro la mamma percorre ogni giorno 15 chilometri. Quanti chilometri percorre in 7 giorni?

5 Nell'orto Aldo ha piantato 4 file di fragole. Per ogni fila ha disposto 35 piante. Quante piante di fragole ci sono nell'orto di Aldo?

6 Il treno per Pescara ha 6 carrozze. Su ogni carrozza ci sono 27 passeggeri. Quanti passeggeri ci sono sul treno?

TABELLINE • MOLTIPLICAZIONE IN COLONNA

1 Completa le tabelle.

↓x	2	8	3	1
5	....	....	....	....
2				
7	....	....	....	....

↗x	10	6	4	5
9	....	....	....	....
3				
2	....	....	....	....

2 Colora il risultato giusto.

$5 \times 9 =$ | 40 | 45 | 90 | $9 \times 3 =$ | 27 | 18 | 45 |

$10 \times 3 =$ | 100 | 90 | 30 | $4 \times 8 =$ | 45 | 32 | 80 |

$8 \times 5 =$ | 50 | 45 | 40 | $5 \times 6 =$ | 30 | 35 | 15 |

3 Metti in colonna, calcola e completa.

$28 \times 2 =$ .... $36 \times 2 =$ .... $33 \times 4 =$ ....

da	u
....	....	×
	....	=
....	....

da	u
....	....	×
	....	=
....	....

h	da	u
	....	....	×
		....	=
....	....	....

4 Metti in colonna sul quaderno, calcola e scrivi il risultato.

a. $15 \times 3 =$ .... **b.** $43 \times 2 =$ .... **c.** $22 \times 8 =$ ....

$32 \times 2 =$ .... $28 \times 3 =$ .... $59 \times 2 =$ ....

$26 \times 3 =$ .... $14 \times 5 =$ .... $62 \times 3 =$ ....

5 Risolvi sul quaderno.

a. Il libraio ha ordinato 5 scatole di libri. In ogni scatola ci sono 15 libri. Quanti libri ha ordinato il libraio?

b. Nel teatro ci sono 14 file di poltrone. In ogni fila ci sono 8 posti. Quanti posti ci sono nel teatro?

LA DIVISIONE: DISTRIBUIRE

1 Metti lo stesso numero di banane in ogni cesto e completa. Segui l'esempio.

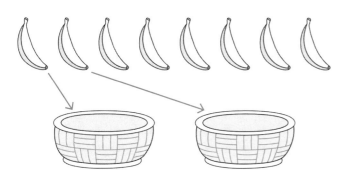

Banane   8

Cesti   2

Banane in ogni cesto   ....

OPERAZIONE ......8 : 2...... = ...

2 Metti lo stesso numero di pizzette su ogni vassoio e completa.

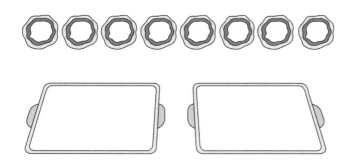

Pizzette   ....

Vassoi   ....

Pizzette su ogni vassoio   ....

OPERAZIONE .... : .... = ...

3 Metti lo stesso numero di cioccolatini in ogni scatola e completa.

Cioccolatini   ....

Scatole   ....

Cioccolatini in ogni scatola   ....

OPERAZIONE .... : .... = ...

4 Metti lo stesso numero di biscotti in ogni sacchetto e completa.

Biscotti   ....

Sacchetti   ....

Biscotti in ogni sacchetto   ....

OPERAZIONE .... : .... = ...

Comprendere il concetto di divisione: dividere in parti uguali.

LA DIVISIONE: RAGGRUPPARE

1 Raggruppa come indicato e completa. Segui l'esempio.

a. Raggruppa per 2.

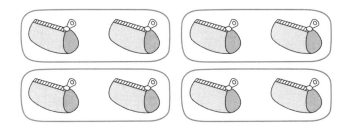

Astucci $\quad$ 8

Astucci in ogni gruppo $\quad$ 2

Gruppi $\quad$ ....

OPERAZIONE 8 : 2 = ...

b. Raggruppa per 3.

Forbici $\quad$ ....

Forbici in ogni gruppo $\quad$ ....

Gruppi $\quad$ ....

OPERAZIONE .... : .... = ...

c. Raggruppa per 4.

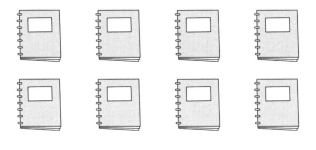

Quaderni $\quad$ ....

Quaderni in ogni gruppo $\quad$ ....

Gruppi $\quad$ ....

OPERAZIONE .... : .... = ...

d. Raggruppa per 5.

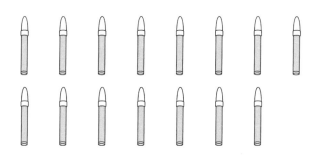

Pennarelli $\quad$ ....

Pennarelli in ogni gruppo $\quad$ ....

Gruppi $\quad$ ....

OPERAZIONE .... : .... = ...

Comprendere il concetto di divisione: raggruppare.

DIVISIONI CON RESTO 0

1 Osserva e completa.

Palline in tutto ....   Carte in tutto ....

Gatti ....   Bambini ....

Palline per ogni gatto ....   Carte per ogni bambino ....

OPERAZIONE .... : .... = ...   OPERAZIONE .... : .... = ...

2 Raggruppa come indicato e completa le divisioni.

Raggruppa per 3.

12 : 3 = ...

Raggruppa per 4.

16 : 4 = ...

Raggruppa per 6.

18 : .... = ...

Raggruppa per 5.

30 : .... = ...

Eseguire divisioni con resto 0.

IL RESTO DIVERSO DA 0

1 Raggruppa, esegui le divisioni e scrivi il resto. Segui l'esempio.

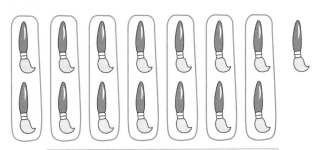

15 : 2 = ..7.. resto ..1..

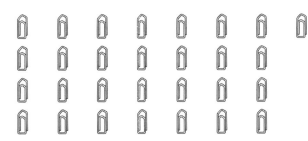

29 : 4 = ... resto ....

19 : 3 = ... resto ....

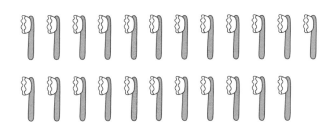

23 : 5 = ... resto ....

2 Scrivi il resto.

25 : 4 = 6 resto ....

18 : 5 = 3 resto ....

14 : 3 = 4 resto ....

17 : 5 = 3 resto ....

28 : 9 = 3 resto ....

25 : 8 = 3 resto ....

31 : 6 = 5 resto ....

37 : 7 = 5 resto ....

3 Calcola, scrivi il risultato e il resto.

32 : 5 = ... resto ....

24 : 7 = ... resto ....

33 : 8 = ... resto ....

28 : 3 = ... resto ....

19 : 8 = ... resto ....

26 : 6 = ... resto ....

38 : 4 = ... resto ....

25 : 3 = ... resto ....

OPERAZIONI INVERSE

1 Osserva, completa e calcola.

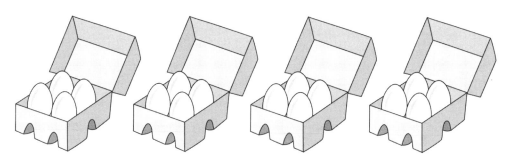

Uova in ogni confezione ....

Confezioni ....

Uova in totale ....

OPERAZIONE 4 × .... = ...

Uova in totale ....

Confezioni ....

Uova in ogni confezione ....

OPERAZIONE 16 : .... = ...

2 Completa.

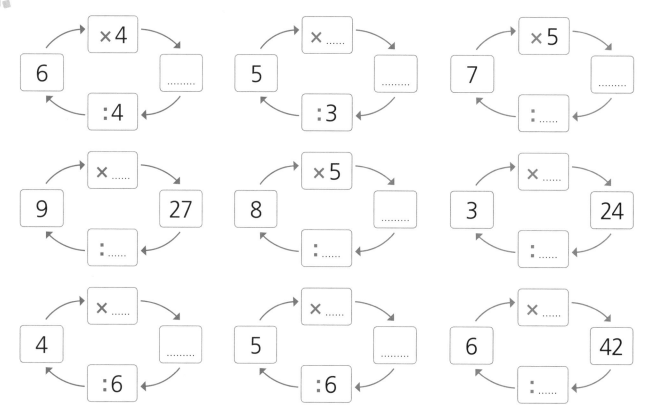

6 → × 4 → .... → : 4 → 6

5 → × ...... → .... → : 3 → 5

7 → × 5 → .... → : ...... → 7

9 → × ...... → 27 → : ...... → 9

8 → × 5 → .... → : ...... → 8

3 → × ...... → 24 → : ...... → 3

4 → × ...... → .... → : 6 → 4

5 → × ...... → .... → : 6 → 5

6 → × ...... → 42 → : ...... → 6

Operare con moltiplicazione e divisione come operazioni inverse.

PROBLEMI

■■■ Leggi i problemi, scegli l'operazione giusta e risolvi sul quaderno.

1 Un fioraio deve preparare 8 vasi di rose. Ha 72 rose da distribuire in parti uguali nei vasi. Quante rose deve mettere in ogni vaso?

☐ 72 × 8 = ...
☐ 72 : 8 = ...

2 Anna prepara 13 sacchetti di caramelle. Mette 7 caramelle in ciascun sacchetto. Quante caramelle ha messo in tutto?

☐ 13 × 7 = ...
☐ 13 : 7 = ...

■■■ Risolvi i problemi sul quaderno.

3 Per il torneo di basket 30 bambini si dividono in squadre da 5 giocatori. Quante squadre formano?

4 L'album di fotografie di Paolo contiene 6 fotografie per pagina. Paolo ha 48 fotografie. Quante pagine dell'album riempie Paolo?

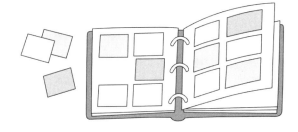

5 Il fruttivendolo ha 40 mele. Deve preparare cestini con 8 mele ciascuno. Quanti cestini può preparare?

6 Lidia regala 36 perline per braccialetti in parti uguali alle sue 4 amiche. Quante perline dà a ciascuna?

7 Per un gioco di carte Ahmed deve distribuire 42 carte a 6 giocatori in parti uguali. Quante carte deve dare a ogni giocatore?

8 Sandro ha lavato le 25 magliette della squadra di rugby. Su ogni filo stende 5 magliette. Di quanti fili ha bisogno Sandro?

9 Al concerto della scuola ci saranno 63 spettatori. Gli alunni preparano le sedie per gli spettatori in file da 9. Quante file devono preparare?

10 Per il suo compleanno, Giulia ha gonfiato 60 palloncini. Li vuole legare in numero uguale alle 10 sedie degli invitati. Quanti palloncini deve legare a ogni sedia?

IL DOPPIO, LA METÀ, IL TRIPLO...

MEMO

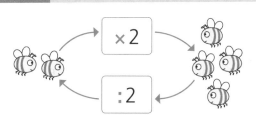

Doppio → 2 × 2 = 4
Metà → 4 : 2 = 2

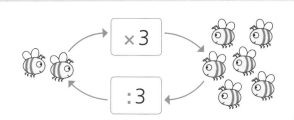

Triplo → 2 × 3 = 6
Terza parte → 6 : 3 = 2

1 Osserva, disegna il doppio e completa.

.1. × .2. = ...

.... × .... = ...

2 Osserva, disegna il triplo e completa.

.... × .3. = ...

.... × .... = ...

3 Calcola la metà dei numeri come nell'esempio.

8 → 8 : 2 = 4   20 → ....

12 → ....   44 → ....

16 → ....   82 → ....

4 Calcola la terza parte dei numeri come nell'esempio.

9 → 9 : 3 = 3   18 → ....

6 → ....   21 → ....

15 → ....   12 → ....

Calcolare il doppio, il triplo, la metà e la terza parte di un numero.

PARI E DISPARI

MEMO

Un numero è pari quando diviso per due dà resto 0.

6 : 2 = 3   resto 0
↓
pari

Un numero è dispari quando diviso per due dà resto diverso da 0.

7 : 2 = 3   resto 1
↓
dispari

1 Dividi per 2 e completa. Poi indica se il numero è pari (P) o dispari (D).

10 : 2 = ... resto .... [P] [D]   18 : 2 = ... resto .... [P] [D]

12 : 2 = ... resto .... [P] [D]   16 : 2 = ... resto .... [P] [D]

14 : 2 = ... resto .... [P] [D]   20 : 2 = ... resto .... [P] [D]

15 : 2 = ... resto .... [P] [D]   13 : 2 = ... resto .... [P] [D]

2 Colora di rosso i numeri pari e di verde i numeri dispari.

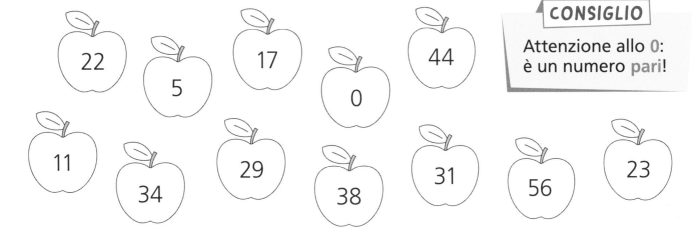

CONSIGLIO

Attenzione allo 0: è un numero pari!

22   5   17   0   44

11   34   29   38   31   56   23

3 Scopri il numero e scrivilo nella conchiglia.

è compreso tra 14 e 18 •
è dispari • non è il 15

....

LA DIVISIONE

1 Dividi in parti uguali e completa.

Pennelli in tutto ....

Barattoli ....

Pennelli in ogni barattolo ....

OPERAZIONE .... = ...

2 Raggruppa per 3 e completa.

Mollette in tutto ....

Mollette in ogni gruppo ....

Gruppi ....

OPERAZIONE .... = ...

3 Calcola.

33 : 4 = ... resto ....

27 : 5 = ... resto ....

19 : 6 = ... resto ....

36 : 7 = ... resto ....

46 : 8 = ... resto ....

59 : 7 = ... resto ....

25 : 3 = ... resto ....

43 : 2 = ... resto ....

4 Risolvi i problemi sul quaderno.

a. Giada ha preparato 35 biscotti. Li distribuisce in 5 sacchetti per i suoi figli e i loro amici. Quanti biscotti mette in ogni sacchetto?

b. Il signor Wen ha comperato 60 magliette per il suo negozio. Le ordina nei cassetti mettendone 12 per cassetto. Quanti cassetti riempie?

c. Isabella ha 36 olive. Ne vuole mettere lo stesso numero in 6 ciotoline. Quante olive deve mettere in ogni ciotolina?

d. Amelia ha 63 carte di dinosauri, suddivise in 7 mazzi. Quante carte ci sono in ogni mazzo?

LA DOMANDA (1)

▪▪▪ Leggi i problemi e sottolinea di rosso la domanda.
Poi risolvi sul quaderno.

1 Marta ha comperato
3 costumi da bagno nuovi.
Ogni costume costa 15 euro.
Quanto ha speso Marta?

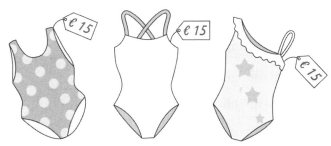

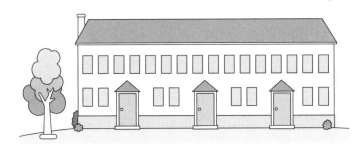

2 Nel palazzo in cui abita Oscar
ci sono 16 appartamenti al secondo
piano e la metà al primo piano.
Quanti appartamenti ci sono
al primo piano?

3 Il fruttivendolo ha 52 grappoli
d'uva. Deve metterli in parti uguali
in 4 cassette. Quanti grappoli
mette in ogni cassetta?

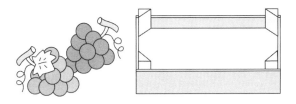

4 La nonna ha 63 anni.
Nicola ha 54 anni in meno
della nonna. Quanti anni
ha Nicola?

5 Leggi il problema e segna con una ✗ la domanda adatta.
▪▪▪ Poi risolvi sul quaderno.

Stamattina nel porto ci sono 33 barche.
Nel pomeriggio nessuna barca lascia il porto e arrivano altre 16 barche.

☐ Quante barche ci sono ora nel porto?

☐ Quante barche hanno lasciato il porto?

☐ Quante persone hanno preso la barca?

LA DOMANDA (2)

■■■ Leggi il testo e completa con una domanda adatta. Poi risolvi.

1 Pietro ha preparato
13 vasetti di marmellata
di mirtilli e 18 di prugne.

DOMANDA ....

....

....

OPERAZIONE

---

2 La mamma ha comperato
3 confezioni d'acqua. Ogni
confezione contiene 6 bottiglie.

DOMANDA ....

....

....

OPERAZIONE

---

3 Il papà ha comperato
15 caramelle da dare in parti
uguali ai suoi 3 figli.

DOMANDA ....

....

....

OPERAZIONE

---

4 Il barista deve portare
16 tazzine di caffè. Su un vassoio
ci stanno 4 tazzine.

DOMANDA ....

....

....

OPERAZIONE

Completare il testo di un problema con la domanda adatta e risolverlo.

I DATI

▪▪▪ Leggi i problemi e sottolinea i dati. Poi completa e risolvi.

1 Alex ha comperato 12 scatolette di cibo
per il suo gatto e 19 scatolette per il suo cane.
Quante scatolette ha comperato in tutto?

DATI

Scatolette per il gatto ....

Scatolette per il cane ....

OPERAZIONE ....

RISPOSTA ....

- -

2 Nel frutteto Martina ha raccolto 21 ciliegie.
Giulio ne ha raccolte 17. Quante ciliegie
in più ha raccolto Martina?

DATI

Ciliegie raccolte da Martina ....

Ciliegie raccolte da Giulio ....

OPERAZIONE ....

RISPOSTA ....

- -

3 Alla fiera di paese 3 amici vincono una scatola
con 24 pennarelli. Se li dividono in parti uguali,
quanti pennarelli prende ciascun amico?

DATI

Pennarelli nella scatola ....

Numero degli amici ....

OPERAZIONE ....

RISPOSTA ....

DAL DISEGNO AL TESTO

■■■ Osserva il disegno e l'operazione suggerita.
Poi scrivi il testo di un possibile problema e risolvi.

1

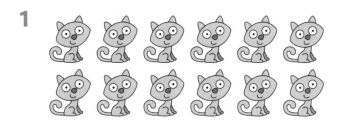

....

....

....

....

....

....

OPERAZIONE .... : .... = ...

RISPOSTA ....

- -

2

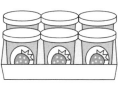

....

....

....

....

....

....

OPERAZIONE .... × .... = ...

RISPOSTA ....

- -

3

....

....

....

....

....

....

OPERAZIONE .... + ... + ... = ...

RISPOSTA ....

Scrivere il testo di un problema relativo a una situazione data.

QUALE OPERAZIONE?

■■■ Leggi i problemi, colora l'operazione giusta per risolverli e calcola.

1 Il signor Andrea sistema
le sue 24 cravatte in 6 scatole.
Quante cravatte mette in ogni scatola?

24 + 6 = ...	24 × 6 = ...
24 − 6 = ...	24 : 6 = ...

---

2 Nell'albergo Bellavista il sabato ci sono
45 persone. La domenica ne arrivano
altre 12. Se nessuno è andato via,
quante persone ci sono in tutto
nell'albergo la domenica?

45 + 12 = ...	45 × 12 = ...
45 − 12 = ...	45 : 12 = ...

---

3 Max sta completando un puzzle da
60 pezzi. Gli restano da mettere 16 pezzi.
Quanti pezzi ha già sistemato?

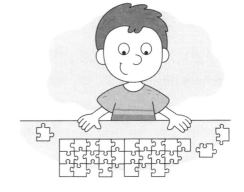

60 + 16 = ...	60 × 16 = ...
60 − 16 = ...	60 : 16 = ...

---

4 Il nonno vuole portare a teatro
i suoi 3 nipoti. I biglietti per lo spettacolo
costano 12 euro.
Quanto spende il nonno?

CONSIGLIO

Fai attenzione:
il nonno deve
comprare il biglietto
anche per sé.

12 + 4 = ...	12 × 4 = ...
12 − 4 = ...	12 × 3 = ...

PROBLEMI

■■■ Risolvi i seguenti problemi.

1 Daniele vuole ordinare i suoi fumetti
in 5 scatole. I fumetti sono in tutto 45.
Quanti fumetti deve mettere in ogni scatola?

OPERAZIONE ....

RISPOSTA ....

- -

2 Emil ha comperato 6 scatole
di tempere. Ogni scatola contiene
5 tubetti. Quanti tubetti ha Emil?

OPERAZIONE ....

RISPOSTA ....

■■■ Quali problemi si risolvono con l'operazione 40 : 8?
Segnali con una X.

3 Per realizzare una collanina,
Giorgia usa 40 perline viola
e 8 bianche. Quante perline
utilizza Giorgia?

4 Samuel sistema le sue
40 macchinine, mettendone
8 su ogni fila. Quante file
di macchinine ha fatto?

5 Per la festa di Isabella la nonna
prepara 40 pizzette; 8 hanno le
olive, le altre i carciofini. Quante
pizzette hanno i carciofini?

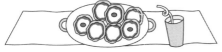

6 Alice prepara 40 tramezzini
e li dispone in 8 piattini. Quanti
tramezzini metterà su ciascun
piattino?

■■■ **7** Risolvi tutti i problemi dell'esercizio precedente sul quaderno.

PROBLEMI

› Leggi i problemi: sottolinea in rosso i dati e in blu la domanda. Poi risolvi sul quaderno.

1 Sandra sistema le sue 16 bambole sulle 4 mensole della sua camera. Quante bambole mette su ogni mensola?

2 Il panettiere ha fatto 25 panini all'olio, 15 panini al sesamo e 10 integrali. Quanti panini ha fatto il panettiere?

3 Al mercato ieri il fioraio ha venduto 25 piantine grasse. Oggi ne ha vendute il doppio. Quante piantine ha venduto oggi?

4 Al supermercato ci sono 6 file di clienti alle casse. In ogni fila ci sono 12 persone. Quanti clienti ci sono in tutto alle casse?

5 Nella libreria di Nicola ci sono 25 libri illustrati sugli animali e 13 di racconti. Qual è la differenza tra il numero dei libri sugli animali e quelli di racconti?

6 In piscina ci sono 41 bambini. 14 sono fuori dall'acqua. Quanti bambini sono in acqua?

7 Un negoziante riceve 15 scatole di dolcetti. Ogni scatola contiene 4 sacchetti di dolcetti. Quanti sacchetti di dolcetti riceve il negoziante?

8 Il papà ha preparato 32 frittelle. Ne mette 4 in ogni sacchetto. Quanti sacchetti prepara?

9 In palestra ci sono 4 cestoni con i palloni da basket. In ogni cestone ci sono 11 palloni. Quanti palloni ci sono in tutto?

> **CONSIGLIO**
>
> Fai attenzione: nei problemi con più domande devi procedere con ordine!

10 Per la festa di compleanno la zia ha preparato 2 vassoi di tartine con la maionese e 3 vassoi di tartine con le olive. Su ogni vassoio ci sono 12 tartine. Quanti vassoi in tutto? Quante tartine in tutto?

11 Stamani il barista ha nel suo frigorifero 26 ghiaccioli alla menta e 18 ghiaccioli al limone. Quanti ghiaccioli ha in tutto? Se durante il giorno ne ha venduti 23, quanti ghiaccioli restano nel frigorifero la sera?

SOLIDI

1 Collega ciascun oggetto al solido che ti ricorda.

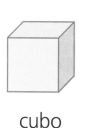    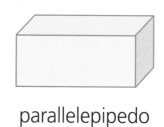 

cubo   cono   cilindro   sfera   parallelepipedo   piramide

2 Collega ogni solido alla sua impronta.

  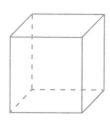 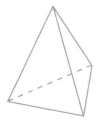

3 Osserva e completa.

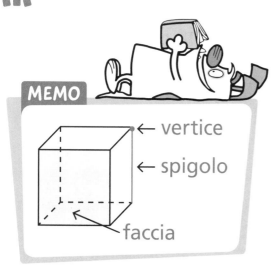

MEMO
← vertice
← spigolo
faccia

Cubo

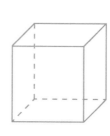

numero facce ....

numero spigoli ....

numero vertici ....

- -

Parallelepipedo

numero facce ....

numero spigoli ....

numero vertici ....

Riconoscere e descrivere alcune figure solide.

FIGURE PIANE

1 Colora come indicato.

rosso   verde   giallo   arancione

2 Collega ogni figura al suo nome.

| cerchio | rettangolo | quadrato | triangolo | rombo |

Riconoscere alcune figure piane.

75

LINEE

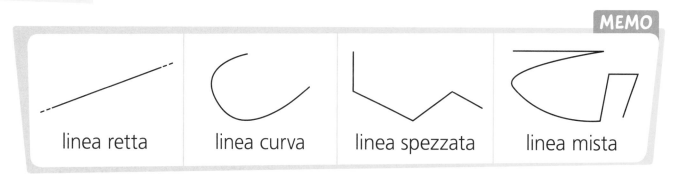

linea retta   linea curva   linea spezzata   linea mista

1 Ripassa di rosso le linee curve e di blu le linee rette.

2 Scegli tra i seguenti termini e scrivi di che linea si tratta.
Segui l'esempio.

aperta • chiusa • curva • spezzata • mista • semplice • intrecciata

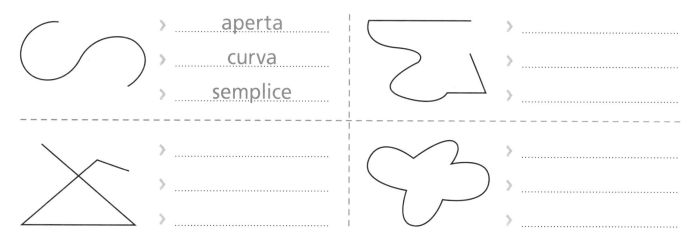

> .... aperta ....
> .... curva ....
> .... semplice ....

> ....
> ....

> ....
> ....
> ....

> ....
> ....
> ....

3 Disegna come indicato.

Linea curva chiusa   Linea spezzata aperta   Linea mista aperta

Riconoscere linee rette, curve, spezzate, miste.

POLIGONI

MEMO

Le figure piane che hanno come confine una linea chiusa, spezzata, semplice si chiamano poligoni.

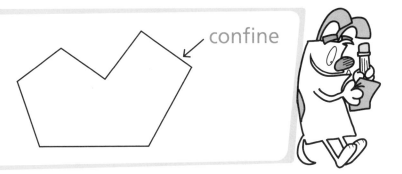

confine

1 Colora solo i poligoni.

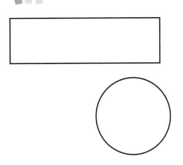
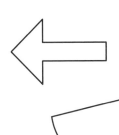
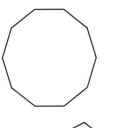
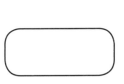
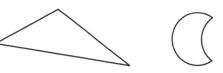

2 Disegna poligoni con tre lati, cioè dei triangoli.

3 Disegna poligoni con quattro lati, cioè dei quadrilateri.

Distinguere e disegnare poligoni.

SIMMETRIA

1 Osserva le figure e cerchia quelle simmetriche tra loro.

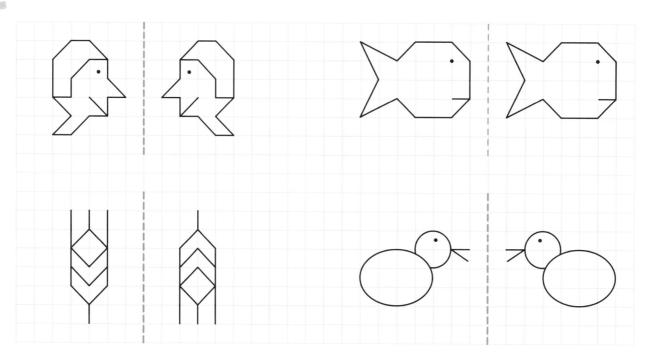

2 Traccia uno o più assi di simmetria con il righello. Segui l'esempio.

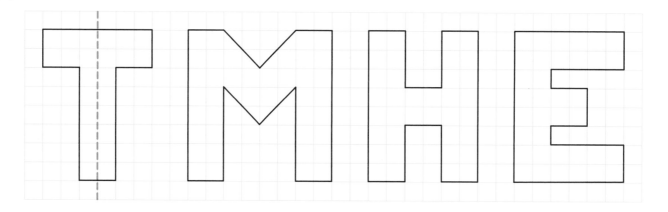

3 Disegna la figura simmetrica e colora.

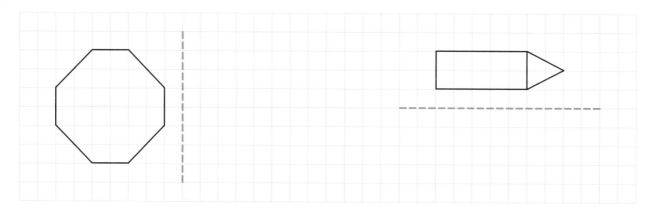

Riprodurre immagini rispettandone la simmetria.

SPAZIO E FIGURE

1 Scrivi il nome delle linee.

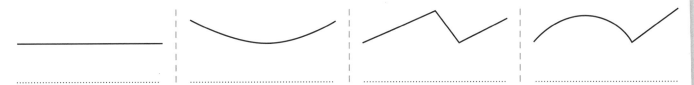

2 Colora solo i poligoni.

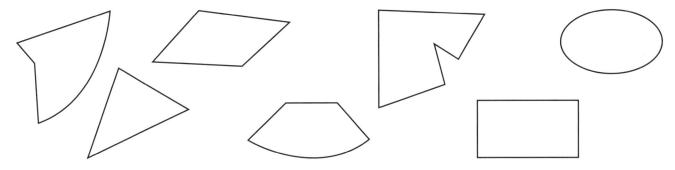

3 Osserva l'immagine e completa.

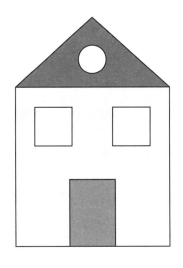

 Numero di rettangoli [.......]

> Numero di quadrati [.......]

> Numero di triangoli [.......]

> Numero di cerchi [.......]

4 Disegna la parte simmetrica.

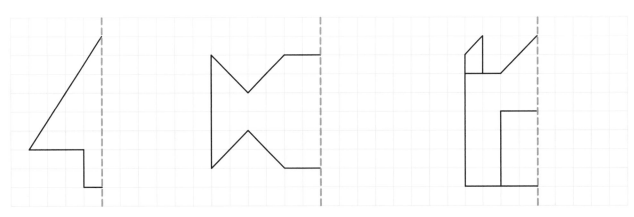

LA LUNGHEZZA

1 Cerchia di rosso il bambino più alto e di blu il bambino più basso.

2 Numera da 1 a 4 e ordina le matite dalla più corta alla più lunga.

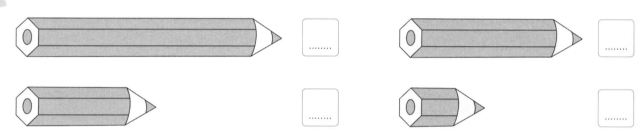

3 Scrivi quanti temperamatite misura ogni oggetto.

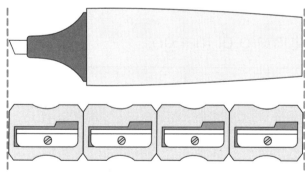

> **MEMO**
>
> Misurare vuol dire confrontare la lunghezza di un oggetto con un altro scelto come unità di misura.

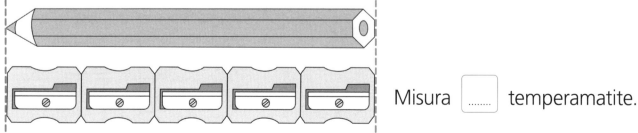

Misura [....] temperamatite.

Misura [....] temperamatite.

> Quale oggetto è più lungo? ☐ L'evidenziatore ☐ La matita

Ordinare e confrontare lunghezze.

IL PESO

1 Numera da 1 a 3 e ordina gli oggetti dal meno pesante al più pesante.

....

....

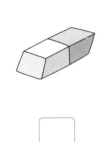

....

2 Osserva il disegno e completa.

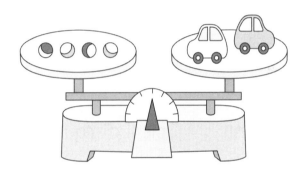

> Il robot pesa .... biglie.

> Due macchinine pesano .... biglie.

> Il robot pesa .... biglie in più delle due macchinine.

3 Osserva di nuovo le bilance dell'esercizio 2, poi disegna le biglie giuste sui piatti delle bilance e completa.

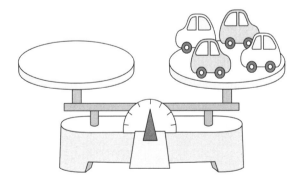

> Il robot e le due macchinine pesano .... biglie.

> Quattro macchinine pesano .... biglie.

LA CAPACITÀ

1 Numera da 1 a 4 e ordina i contenitori da quello che può contenere meno liquido a quello che può contenerne di più.

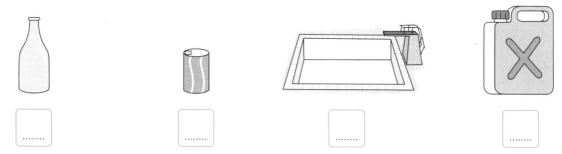

....

2 Leggi e rispondi.

Carlo usa queste unità di misura:

tazzina da caffè, bicchiere.

Se 1 ☕ = 12 ☕ = 6 🥛

> quanti 🥛 pieni d'acqua servono a Carlo per riempire 2 ? ....

> quante ☕ piene d'acqua servono a Carlo per riempire 2 ? ....

3 Segna con una ✗ il disegno corretto.

Se 1 🍶 contiene mezzo litro d'acqua:

> quante bottiglie servono per avere 3 litri?

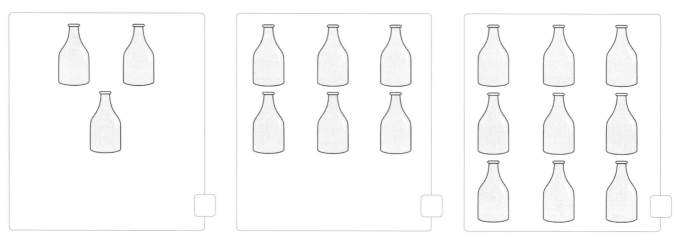

L'EURO (1)

1 Ernesto e Giulia confrontano i loro risparmi. Conta il denaro e rispondi.

MEMO

1 euro = 100 centesimi

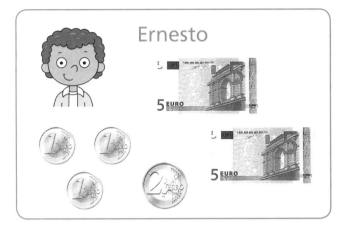

Ernesto

Giulia

> Quanti euro ha Ernesto? ....

> Quanti euro ha Giulia? ....

> Chi possiede la somma maggiore? ....

2 Cerchia le banconote e le monete che useresti per comprare gli oggetti indicati. Poi rispondi.

> Quanto resta? ....

> Quanto resta? ....

L'EURO (2)

1 Leggi e rispondi.

Carlo compera questi oggetti:

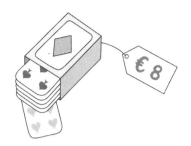  

> Quanto ha speso in tutto Carlo? ....

> Carlo paga con una banconota da 50 euro.

Quanto deve ricevere di resto? ....

2 Leggi e rispondi.

> Quanti centesimi ci sono nel portafogli di Luca? ....

> Con il suo denaro Luca vuole comprare delle caramelle gommose. Ogni caramella costa 20 centesimi. Quante caramelle può comperare? ....

3 Leggi e rispondi.

> Patrizia ha comperato questa gonna e questa collana.

> Patrizia ha ricevuto di resto questo denaro:

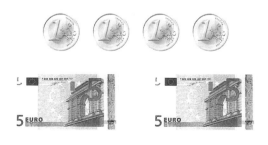

> Con quale banconota ha pagato Patrizia? ....

Riconoscere il valore degli euro.

IL TEMPO

MEMO

L'orologio misura il tempo.

La lancetta corta indica le ore.
La lancetta lunga indica i minuti.

1 Osserva gli orologi e scrivi l'ora.

....

2 Leggi l'orario indicato e disegna le lancette sull'orologio.

| 12 e 30 | 5 e 45 | 6 e 15 | 8 e 00 |

3 Osserva gli orologi e rispondi: quanti minuti sono passati?

Sono passati .... minuti   Sono passati .... minuti

Individuare le ore e i minuti sull'orologio.

MISURE

1 Marica usa 1 biglia come unità di misura per pesare due oggetti. Osserva e rispondi.

1  = 3 ◯   1  = 6 ◯

> Quante biglie pesano due calcolatrici? ....

> Quante biglie pesa in più la bottiglia rispetto alla calcolatrice? ....

> Quante biglie pesano la calcolatrice e la bottiglia? ....

2 Leggi e segna con una ✗ l'operazione giusta.

Per la festa di compleanno di Martina, il papà ha comperato 4 bottiglie di aranciata. Con una bottiglia si riempiono 7 bicchieri. Quanti bicchieri di aranciata potranno bere gli invitati di Martina?

▢ 7 + 4 = 11   ▢ 7 − 4 = 3   ▢ 7 × 4 = 28

3 Cerchia le banconote e le monete necessarie per comperare la racchetta da tennis.

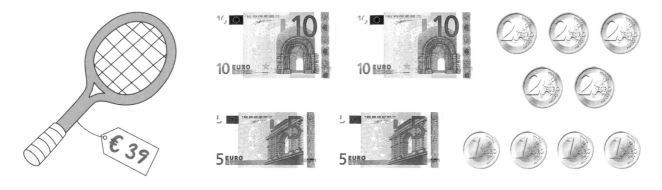

> Quanto resta? ....

4 Leggi, osserva l'orologio e rispondi.

> Il treno parte tra 25 minuti.
> A che ora parte il treno?

....

RELAZIONI

1 Osserva.

La freccia dice: ——— gioca a ———→

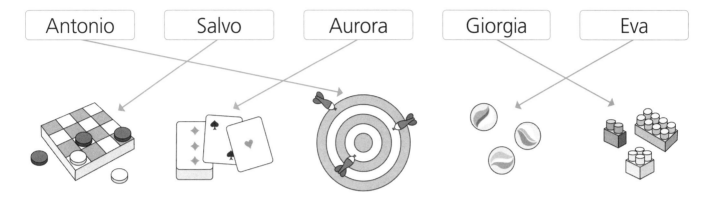

Registra le relazioni in tabella. Segui l'esempio.

gioca a ↷					
Antonio			X		
Salvo					
Aurora					
Giorgia					
Eva					

2 Osserva e scrivi che cosa dice la freccia. Poi registra le relazioni in tabella.

è .... di →

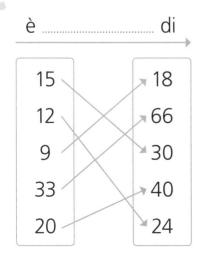

è .... di	18	66	30	40	24
15					
12					
9					
33					
20					

Stabilire relazioni e rappresentarle in tabelle a doppia entrata.

REGISTRARE DATI (1)

1 Ogni bambino della 2ᵃ B ha portato un tubetto di tempera colorata.
Ogni indica un tubetto. Osserva la tabella e rispondi.

Tubetti di colore rosso	
Tubetti di colore blu	
Tubetti di colore verde	
Tubetti di colore viola	
Tubetti di colore giallo	

> Quanti sono gli alunni della 2ᵃ B? ....

> Quanti tubetti blu ci sono in più di quelli viola? ....

> Di quale colore sono i tubetti più numerosi? ....

2 Colora tante caselle quanti sono i tubetti di ogni colore.
Segui l'esempio.

Rosso	Blu	Verde	Viola	Giallo

Comprendere e applicare elementari procedure statistiche.

REGISTRARE DATI (2)

1 La tabella riporta le risposte di alcuni bambini alla domanda: "Qual è la tua frutta preferita?".

	Banane	Mele	Arance	Fragole
Andrea	X			
Michela		X		
Gloria	X			
Irene			X	
Marta				X
Daniel				X
Miriam				X
Sara			X	
Massimo				X

Colora una casella per ogni preferenza.

Banane	Mele	Arance	Fragole

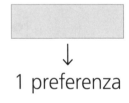

↓

1 preferenza

Rispondi.

> Qual è la frutta preferita dai bambini? ....

> Qual è la frutta che piace meno ai bambini? ....

> Quanti bambini in più preferiscono le fragole alle banane? ....

PROBABILITÀ

1 Osserva il disegno e segna con una X la parola giusta.

> Sonia pescherà una biglia. ☐ Certo ☐ Possibile ☐ Impossibile
> Sonia pescherà una biglia bianca. ☐ Certo ☐ Possibile ☐ Impossibile
> Sonia pescherà una biglia verde. ☐ Certo ☐ Possibile ☐ Impossibile
> Sonia pescherà una biglia nera. ☐ Certo ☐ Possibile ☐ Impossibile
> Sonia pescherà una figurina. ☐ Certo ☐ Possibile ☐ Impossibile

2 Osserva le facce del dado e colora la casella giusta.

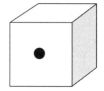 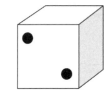 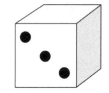  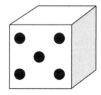 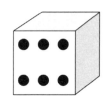

Se lanci un dado esce:
> un numero maggiore di 6. | Certo | Possibile | Impossibile |
> un numero da 1 a 6. | Certo | Possibile | Impossibile |
> il numero 0. | Certo | Possibile | Impossibile |
> un numero pari. | Certo | Possibile | Impossibile |
> un numero dispari. | Certo | Possibile | Impossibile |
> il numero 3. | Certo | Possibile | Impossibile |

Riconoscere in contesti reali eventi certi, possibili e impossibili.

RELAZIONI, DATI E PREVISIONI

1 Veronica ha fatto un'indagine nella sua classe su quale sia l'animale domestico preferito tra i suoi compagni e le sue compagne. Osserva e rispondi.

[   ] = 1 preferenza

Cane	Gatto	Pesce rosso	Criceto	Tartaruga

› Qual è l'animale preferito dai bambini? ....

› Qual è l'animale che piace di meno? ....

› Quanti bambini in più preferiscono il cane al criceto? ....

› Quanti sono i bambini che hanno partecipato all'indagine? ....

2 Osserva il disegno e rispondi.

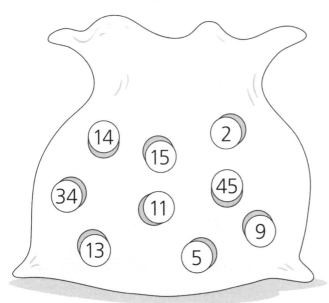

Gaia è bendata e deve prendere un numero dal sacchetto.

Prenderà un numero dispari?

☐ Certo.

☐ Possibile.

☐ Impossibile.

MAPPE e SCHEMI
PER RIPASSARE

I NUMERI FINO A 100

1	2	3	4	5	6	7	8	9	10
11	12	13	14	15	16	17	18	19	20
21	22	23	24	25	26	27	28	29	30
31	32	33	34	35	36	37	38	39	40
41	42	43	44	45	46	47	48	49	50
51	52	53	54	55	56	57	58	59	60
61	62	63	64	65	66	67	68	69	70
71	72	73	74	75	76	77	78	79	80
81	82	83	84	85	86	87	88	89	90
91	92	93	94	95	96	97	98	99	100

> maggiore   **50 > 40**   < minore   **50 < 60**   = uguale   **50 = 50**

IL CENTINAIO

1 h = 10 da = **100** u

1 centinaio = 10 decine = **100** unità

ADDIZIONE

HA IL SEGNO
+ (più)

Serve per:
- AGGIUNGERE
- METTERE INSIEME, UNIRE

COME SI FA

Prima somma
le **unità**

da	u
1	
5	**3**
3	**8**
....	1

+

Poi somma
le **decine**

da	u
1	
5	3
3	8
9	1

+

Ricordati di aggiungere
la decina che hai
cambiato.

SOTTRAZIONE

HA IL SEGNO
− (meno)

Serve per:
- TOGLIERE
- CALCOLARE LA DIFFERENZA

COME SI FA

Prima sottrai
le **unità**

da	u
2	
~~3~~	¹6
1	9
....	7

−

Poi sottrai
le **decine**

da	u
2	
~~3~~	6
1	9
1	7

−

Ricordati che hai preso
in prestito una decina.
(quindi 2 − 1 = 1)

MOLTIPLICAZIONE

HA IL SEGNO
× (per)

Serve per:
- RIPETERE PIÙ VOLTE LA STESSA QUANTITÀ

COME SI FA

Prima moltiplica le **unità** per le **unità**

Poi moltiplica le **unità** per le decine

Se il prodotto è **maggiore di 9**, ricordati di fare il cambio.

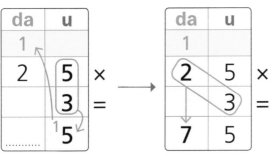

DIVISIONE

HA IL SEGNO
: (diviso)

Serve per:
- DISTRIBUIRE IN PARTI UGUALI
- RAGGRUPPARE IN PARTI UGUALI

COME SI FA

Conta quante volte il divisore è contenuto nel dividendo.

72 : 9 = 8 resto 0
73 : 9 = 8 resto 1
↑   ↑   ↑
dividendo   divisore   quoziente

LE FIGURE SOLIDE E PIANE

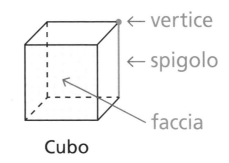

← vertice

← spigolo

faccia

Cubo

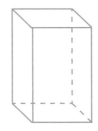

Parallelepipedo

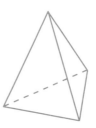

Piramide

Sfera

Cilindro

Cono

Quadrato

Rettangolo

Triangolo

Cerchio

Progetto didattico e testi   Team didattico Giunti Scuola

Illustrazioni   Vinicio Salvini
Rufus è disegnato da Paolo Zambelloni

Referenze iconografiche   © freepik/Freepik.com, © Paperclips/Shutterstock (Strumenti attivi)

---

www.giuntiscuola.it
© 2020 Giunti Scuola S.r.l., Firenze
via Bolognese 165 – 50139 Firenze – Italia
Prima edizione: gennaio 2020
Seconda ristampa: ottobre 2020

Stampato presso Lito Terrazzi srl, stabilimento di Iolo